MATALACHÉ

ENRIQUE LOPEZ ALBUJAR

MATALACHÉ

Juan Mejía Baca & P. L. Villanueva, Editores

EDICIONES POPULARES

GRANDES OBRAS DE AMERICA

Colección dirigida por Manuel Scorza

1.- Ciro Alegría: EL MUNDO ES ANCHO Y AJENO (I) (50,000 ejemplares).

2.- Ciro Alegría: EL MUNDO ES ANCHO Y AJENO (II) (50,000 ejemplares).

3.- Mariano Azuela: LOS DE ABAJO (50,000 ejemplares).

4.- Enrique López Albújar: MATALACHE (50,000 ejemplares).

5.- José Hernández: MARTIN FIERRO (50,000 ejemplares).

6.- Horacio Quiroga: CUENTOS DE AMOR, DE LOCURA Y DE MUERTE (50,000 ejemplares).

7.- Jorge Icaza: HUASIPUNGO (50,000 ejemplares).

8.- LOS MEJORES CUENTOS AMERICANOS (50,000 ejemplares).

9.- Rómulo Gallegos: DOÑA BARBARA (I), (50,000 ejemplares).

10.- Rómulo Gallegos: DOÑA BARBARA (II), (50,000 ejemplares).

A PROPOSITO DE "MATALACHE"

CARTA DE DON RAMIRO DE MAEZTU

Embajada de España
—

Buenos Aires, 21 de noviembre de 1928.

Señor E. López Albújar

Mi distinguido señor:

   Mil gracias por el envío de su "Matalaché", que he leído con sumo interés. A veces me acordaba de los versos de Rubén: "He visto en tierra tropical—la sangre arde". La sensualidad es la misma. Y, sin embargo, no es la cultura un ahorro de sensualidad? Una desviación de la corriente natural de la vida? Luego he visto que el tema principal de la obra, era el problema de razas. En los pueblos hispánicos se puede hablar de problemas. En otros pueblos un asunto como el que usted plantea no se podría llevar a la letra de molde, porque su María Luz parecería un monstruo. La solución vendrá con la cultura, con la comprensión, con la hermandad humana, con la fórmula de don Quijote: "Repara, hermano Sancho, en que nadie es más que otro mientras no hace más que otro".
   Le felicito sinceramente.

RAMIRO DE MAEZTU.

CARTA DEL AUTOR DE "MATALACHE"

Chiclayo, 5 de abril de 1929.

Señor Don Ramiro de Maeztu, Embajador de España.

Buenos Aires.

Señor de toda mi consideración:

Casi cinco meses he dejado trascurrir sin acusarle recibo de su valiosa carta, en que se ha dignado usted hacer algunas apreciaciones sobre mi novela "Matalaché", con la cual quise tener el honor de obsequiarle. Aunque su carta no es de las que precisan respuesta. Pero como en ella hay un concepto que lastima el fondo del asunto novelado por mí, veladamente desde luego, estimo necesario expresar sobre él mi punto de vista.

Dice usted en uno de los períodos de su carta: "Luego he visto que el tema principal de la obra, era el problema de razas. En los pueblos hispánicos se puede hablar de problemas. En otros pueblos un asunto como el que usted plantea no se podría llevar a la letra de molde, porque su María Luz parecería un monstruo. La solución vendrá con la cultura, con la comprensión, con la hermandad humana, con la fórmula de don Quijote: "Repara, hermano Sancho, en que nadie es más que otro mientras no hace más que otro".

Bien. Siento disentir de usted por lo que toca a la monstruosidad de la mujer que concebí como tipo de contraposición en un ambiente de prejuicios sociales y de ennoblecimiento de las bajas pasiones de una casta. Como esa monstruosidad, según usted, sería espiritual, por más que he querido justificar el calificativo, no me ha sido posible. No porque mi amor propio de autor me haya vendado los ojos de la mente, sino porque siendo la monstruosidad una deformidad o fealdad moral, la de María Luz no he podido verla en ninguno de sus actos, a pesar de que, alarmado por una opinión tan autorizada como la suya, la he buscado prolijamente.

Y al no encontrarla en la vida de esta mujer he acabado por pensar que la sombra no estaba en el objeto enfocado sino en el observador. Un cerebro mestizo como el de usted, de español y sajón, tiene que ver naturalmente la vida americana del pasado o del presente, reflejada en la novela, con los prejuicios de una doble raza y con la intolerancia de todo prejuicio. Y usted sabe que, desde el punto de vista de las costumbres, de las leyes del hogar, nadie más intransigente que un irlandés o un español. Así, a pesar de todas las monstruosas tragedias de incestos, adulterios, reales y sacrílegos, y demás desbordes sexuales con que llenan una gran parte de su vida muchos de los personajes de todo orden de esos pueblos.

Usted no ha juzgado con criterio libre mi novela. En el fondo de su pensamiento hay un reflejo ortodoxo y la repulsión ancestral que todo blanco como usted siente por el color de una raza que simboliza un largo pasado de inferioridad y servidumbre. Y con esta agravante más: que no se juzga esa inferioridad transitoria y evolutiva, sino definitiva y perpetua.

Naturalmente, colocado usted en aquel plano, un amor como el de una mujer como María Luz, blanca y rubia como una aurora, por un mulato como Matalaché, tenía que crispar toda esa sensibilidad de hombre seminórdico, semiinquisidor, que duerme en usted, no obstante su cultura y las prácticas lecciones que la sociología, la biología y la historia le dictan diariamente al mundo.

Usted como novelista, jamás, ya lo creo, podría concebir una mujer como María Luz, dándose en cuerpo y alma a un hombre negro —no negro del todo— y esclavo como Matalaché. Pero sí concebiría usted a una entregándose a un fraile, a un duque, a un rey o a un banquero de Wall

Street. Y en esto, desde su punto de vista, no habría menos rebajamiento moral que lo hecho por María Luz por Matalaché. La entrega de la mujer en los amores irredimibles, absurdos, tiene mucho de sacrificio. Y todo sacrificio, bien lo sabe usted, tiene algo de santo y mucho de noble.

Como lo supongo a usted creyente y creo que hasta cristiano, no me parece demás recordarle el sacrificio de Jesús. Jesús es grande, más que por lo que predicó, por lo que practicó y por su sacrificio. Y ese sacrificio no fue por los poderosos ni por los libres, sino por los pobres y los esclavos. ¿Por qué no ver, pues, un destello de ese sacrificio en la caída de María Luz? ¿Será por esto que la supone usted un monstruo? Entonces, generalizando el concepto suyo, habría que suponer monstruos también a las cien mil madres blancas que en América dieron tantos broncíneos tipos de pasión, rebeldía, hermosura, arrogancia, valor y talento. ¿Qué ignora usted que en Bolívar no todo es blanco? ¿Qué en Montalvo, en Páez, en Maceo y en mil americanos más la sangre ardiente de Africa voronofdizó la que les legaron los conquistadores, escrofulosa y empobrecida por el ricorsi de la conquista?.

Y va por descontado que usted no supondrá que esas cien mil madres cedieron al empuje de la violencia o del terror para procrear tales hijos. Precisamente hicieron muchas de ellas lo que María Luz: comprender, desear, vencer el prejuicio y caer. Y no caer sólo por obra del deseo sino del amor, de un verdadero amor. Hacer en los obrajes, en los galpones, en las tinas, en las haciendas lo que la naturaleza quiere que se haga en estos casos. Porque la naturaleza es más fuerte que el prejuicio racial. Porque por encima del distanciamiento del título, de la fortuna y del color de la piel está la atracción de los sexos, el poder irresistible del genio de la especie.

Y eso fue también lo que ese genio hizo con el marqués de la Pagerie, para que de su conjunción con una negra pudiera salir la gloriosa trinidad de los Dumas. Y lo que, en cierto modo, hizo Shakespeare en el teatro con Desdémona. Otelo no fue un blanco. ¿Quiso Shakespeare plantear el problema racial *más* que *dramatizar* la pasión de los celos en esa alianza bicolor? Medido por el cartabón mental de usted aquel asunto, podría decirse que sí. Y, sin embargo, a ningún público europeo, a ningún público blanco, estoy seguro, le crispó la dramatización del tema. Encontrarían rareza en él, pero nadie vería en esa unión, en ese amor antitético nada de monstruosidad. Lo monstruoso fueron, precisamente, los celos del personaje negro, no el amor de la esposa blanca. Y lo repulsivo y odioso, la deslealtad del amigo blanco, traidor.

Se dirá, que una cosa es amar y rendirse ante la gloria de un general negro, vencedor y libre, y otra entregarse a un mulato obrero y esclavo. Desde el punto de vista social, sí; desde el punto de vista del amor, nó. El amor salva toda barrera. Axioma bien sabido. Y más sabido aún que quienes más la salvaron fueron los españoles, y no del Mediodía todos, sino también de las nórdicas provincias vascas.

No veo, pues, razón para que un asunto como el de mi novela "Matalaché", no pudiera ser llevado a la letra de molde en cualquier pueblo que no fuera hispánico. Usted, mejor que yo, conoce la producción literaria de Europa y por ella habrá visto que respecto a monstruosidades morales no es a mi novela donde habría que venir a buscarlas, sino en esas otras de blancos por el título y sus personajes, pero negras, perfectamente negras, por el tema, el pensamiento y el lenguaje.

Todo esto no quiere decir que yo me haya sentido agraviado en mi honestidad de escritor por el juicio de usted. La moralidad es tan relativa en el tiempo y en el espacio, que lo que en cierto momento puede parecernos una monstruosidad, en otro deje de serlo. Pero es que yo no podía callarme ante ese juicio sin aparecer ante usted como conviniendo en él. De lo que estoy muy lejos. Podrá no importarle a usted mi parecer, pero a mí sí me importa el suyo. Y porque me importa, porque sé lo que usted significa en la república de las letras, a pesar de la realeza de su elevado cargo, he creído indispensable hacerle a un pensamiento suyo todo el honor que se merece.

11

Pero sin claudicación del pensamiento propio, sin concesiones, sin cobardías ni transigencias.

En esto soy tan sajón como usted. Mi espíritu, desde que nací, felizmente respiró siempre aire de independencia y altivez. He crecido protestante y sigo siéndolo, a pesar de la disciplina judicial a que estoy sometido. No me gusta que me den las cosas hechas y menos pensar con pensamiento de otro. Si don Ramiro de Maeztu dice que la heroína de mi novela "Matalaché", sería en cualquier otro país, fuera de los hispánicos, un monstruo, yo digo que nó, rotundamente nó; que aquí como allá, en Europa como en América, el asunto planteado por mí en esa novela puede ser llevado a la letra de molde de cualquier clase que sea.

Y una prueba de ello es habérseme hecho ya propuesta, desde Munich, para traducirla al alemán. Y no por un hombre, precisamente, sino por una mujer, para mayor gloria de María Luz.

Quiera usted dispensar lo largo, pesado y egotista de esta carta, y téngame usted por un viejo admirador suyo.

E. LOPEZ ALBUJAR

UNA CARTA DE DON JOSE VASCONCELOS SOBRE "MATALACHE"

Somio, julio 18 de 1933.

Señor Don Enrique López Albújar

Tacna.

Muy distinguido colega:

Le escribo bajo la fuerte impresión que me produce la lectura de su tremenda y hermosa novela: "Matalaché". Mucho le agradezco que me la haya enviado. Observo que salió a luz en el 28, y no me explico que a estas fechas no sea ya un éxito enorme de librería. Es una novela que interesa a todo el mundo; está escrita sobriamente, vigorosamente, con un estilo casi perfecto. Le celebro la designación un poco humorística de "retaguardista", como para burlarse y con justicia de todas esas "vanguardias" que no teniendo mensaje propio se engañan a sí mismo con el estilo enrevesado.

En cuanto al tema de la obra, debo decirle que leí también su correspondencia con don Ramiro de Maeztu, persona a la que yo también profeso singular estima y admiración. Pero lamento, por eso mismo, que en su caso, haya estado tan parco en el elogio y quizás también desorientado por la novedad del tema; digamos, más bien, por su audacia. Pero que es tema, aceptable sólo en los países hispánicos, lo prueba una nota que leí hace pocas semanas en "Les Nouvelles Litteraires", sobre la novela de Pierre Benoit, académico y autor de la "Atlántida", novela de fantasía. El tema de la nueva novela de Benoit, que por cierto es comentada con grandes elogios, es parecido al suyo; una joven distinguida y bella de pura sangre francesa de la Martinica, pasa una temporada en París, se ve cortejada por un joven irreprochable de su misma clase social, pero ella prefiere volver a su isla donde se amanceba con un mulato de gran vigor, etc. Y, desde luego, esta novela que hoy parece nueva, por el asunto, en París, es posterior a la de usted. Por lo que conozco de medios literarios norteamericanos creo que su novela traducida al inglés provocaría resonancia enorme. En suma, yo no dudo que "Matalaché" es un libro de extraordinaria importancia y de interés actual en el medio americano, en el medio colonial francés, en todos los pueblos de vida universal y no provinciana. Y si hay quien diga que el asunto parecería repugnante a los ingleses, contéstele que se dé una vuelta por el Canadá o por Jamaica para que vea las cabelleras de pelo encrespado y rojo que resultan de mestizajes que no son un accidente sino una práctica. Será o no será agradable el tema para ciertas sensibilidades —yo no tengo nada de negro y el tema no me es repulsivo— lo veo profundamente humano. Ya lo he dicho por allí en uno de mis libros: es más repulsivo el hecho de que a diario se junten para propagarse, tantas parejas feas de la misma raza. Pero aparte de que nos guste o nos repugne, existe el hecho social, y usted lo aborda con valentía y con generosidad, tanto más eficaz, cuanto que no incurre en sentimentalismos.

No tengo ya revista donde gritarle mi entusiasta admiración, como lo desearía, pero vayan por lo menos estas líneas con mi más efusiva enhorabuena. Y dénos usted más; rompa el estilo perezoso de nuestra América, donde cada escritor se conforma con uno o dos buenos libros y constrúyanos la docena de novelas andinas que de usted reclama la literatura de nuestro continente, todavía tan escasa. Por mi parte estoy seguro de que "Matalaché" lo coloca en primera fila de cualquier literatura. Un fuerte apretón de manos de su afectísimo, atto. y amigo.

JOSE VASCONCELOS.

I

UN FAVOR, SIGNO DE LOS TIEMPOS

—¡Adelante!, ¡adelante!, mi señor don Baltazar—, murmuró una voz, abaritonada y hecha al mando, desde adentro.

Y el llamado así, un personaje semiamorfo, todo él belfo, nariz y nuez, entró, sombrero en mano, resuelto y genuflexivo. Después, un cambio de saludos, con sinceridad más o menos campechana, un fuerte apretón de manos y un leve crujido, causado por el arrellanamiento de dos cuerpos sobre un muelle sofá de cerdas y platerescas talladuras. Fintearon ambos sujetos un par de miradas y el más entrado en años, que era el dueño de la casona, exclamó, obsequiosamente:

—Ya me supongo a lo que debo su visita, a estas horas y con este sol de las cinco, que pica todavía, mi don Baltazar. No hacía mucho que me había asomado al zaguán, a dictar mis últimas disposiciones para que el cargamento que acaba usted de ver, no se quedase afuera, como ha ocurrido otras veces, cuando le vi venir, y al verle me dije: "Noticias frescas de Lima tenemos".

—No ha estado usted acertado en esta vez, mi señor don Juan Francisco. Por ahora no tengo noticia alguna que darle, como no sea la de las barrabasadas de Brown en el Callao, que ya todo Piura sabe.

—¡Qué me cuenta usted! ¿Pero dónde diablos me meto yo, que siempre soy el último en saber estas cosas? ¿Y podría usted decirme qué diabluras son ésas?

—¡Psh! Nada en dos platos. Un pirata de los de Buenos Aires, que urgido por el hambre y la persecución, fué a dar en aguas del Callao ahora un mes, y como no quería dejarse coger, ha tenido que abrirse paso a tarascadas, como un perro rabioso. Lo que hacen todos esos tunantes del mar, hasta que al fin les llega el día de ser colgados de una antena.

—¿Y ha logrado escapar el hombre?

—Como alma que lleva Cachafás. Estas son las cosas que los descontentos y descastados han comenzado a llamar las barrabasadas de Brown.

—Y con ellos usted, mi querido amigo. Se diría que el calificativo no le desagrada del todo.

—Me desagrada enteramente, porque tras dél hay como un secreto regocijo: el que siente el esclavo frente a los males de su señor. Y usted sabe, porque ya hemos hablado de ello alguna vez, cuánto me repugna todo lo que trasciende a pujos de rebeldía.

—Vaya que sí —contestó, con leve matiz de ironía don Juan Francisco, saeteándole a la vez con una oblicua mirada.

—Figúrese usted a la colonia en manos de criollos y mulatos. Sería para morirse de risa. Y, después de todo, para ganar nosotros qué? Porque si se tratara siquiera de mejorar... Pues por más que ciertos hombres del Partido digan que con el cambio de sistema vamos a ganar todos, eso a contárselo a Ño Velita, que todo se lo comulga sin chistar. Así se lo dije ahora días a Seminario y Jaime y a cierto joven López, que todas las tardes sale en compañía de su cuñado Diéguez de Florencia a cabalgar por las afueras de la ciudad, bajo pretexto de distraerse, pero en realidad con el de conspirar contra el sistema. ¿Que no lo ha oído usted decir?

—No. La verdad, mi querido amigo, que esto del jabón y los cueros me tiene absorbido completamente. Apenas si me deja tiempo para bajar de tarde en tarde a la ciudad. Usted sabe cómo he recibido este negocio: un barco a pique. Y algunos de mis inmuebles también. No hay peor comején para las cosas que el tiempo y la ausencia. Y hay que salir avante del naufragio, cueste lo que cueste. Ahora mismo estaba recibiendo ese cargamento que ha visto usted y que no es otra cosa que sebo de Chile. Es un sebo que rinde más que el nuestro y, naturalmente, tengo que preferirlo para mi jabón. Son ciento cincuenta quintales que me debía Joaquín de Helguero y estaban puestos en Paita a mi orden.

—Pero el negocio de las pieles anda muy bien; no puede usted quejarse. Cualquier cuero vale hoy un sentido. Va a llegar día en que no tendremos cómo forrar nuestros muebles. ¿Y eso por culpa de quién? Por esos malditos insurgentes de Chile, que el demonio confunda. Pero, viéndolo bien, esto no le perjudica a usted. ¿Que los cueros suben? Pues se curte menos y se cobra más. ¿Que los cueros bajan? Pues se curte más y se cobra menos.

Y Rejón de Meneses, que así se apellidaba el visitante, encantado de sí mismo, por la sencilla ley económica que tan dogmáticamente acababa de sentar, añadió:

—Amigo mío, créame usted, si algo hay que me pese en la vida es ser consumidor y no productor. ¿De qué sirve tener unos cuantos pesos de renta si a lo mejor ésta se nos va por no saberla conservar? La plata, señor don Juan, en manos blancas como las nuestras, es como la libertad para un negro, que no sabe qué hacerse con ella.

—Pero usted la ha empleado bien, según es fama. En sus buenos tiempos la hizo usted rodar por el suelo y alrededor de muchos pies pulidos en la calle de Los Angeles. Para eso se han hecho los pesos redondos.

—¿Y usted, mi buen amigo? ¡No se diga! Todavía hay eco del ruido que metiera usted en sus mocedades con eso de los pesos y las onzas al son de un baile de los de la tierra.

Don Francisco, que no esperaba la remoción de un recuerdo semejante, se entristeció y apenas pudo decir, con mal fingida solicitud:

—Y cómo está misiá Jesusita? Perdóneme, mi querido amigo, que no se lo haya preguntado desde el primer momento. Es que usted se me vino tan encima con eso de Brown, que no me dejó tiempo ni para principiar por donde debiera.

—Vaya, mi mujer no puede estar mejor. Un poco disgustada no más con una criada de manos que tenemos, para mal de mis culpas, y de la cual, según se le ha metido entre ceja y ceja, quiere deshacerse por unos días. Dice ella que para que le entre el juicio a la moza. Y ya sabe usted lo que esto significa para una esclava.

—Algo, no todo.

—Y para eso se ha fijado en la casa de usted, con perdón sea dicho.

—Hombre, primera noticia que tengo de la tal virtud de esta casa. Como que dudo de que me haya entrado a mí todo el que yo quisiera. Me hace mucha gracia la elección de misiá Jesusita.

—No se haga usted tan de nuevas, que es fama que entre sus esclavos tiene usted uno para eso del juicio que ni mandado hacer. Un garañón capaz de apechugar con todas las criadas de la ciudad en una noche. ¡Y va usted a ignorarlo!

—¡Ah, sí!, José Manuel. Pero desde que estoy aquí no he visto en él nada que lo haga merecedor de esa celebridad. Me parece más bien mozo reposado que inquieto. Cierto que las apariencias engañan, que eso de la corpulencia no siempre responde en las lides amorosas a las exigencias del caso, como usted sabe...

—Así será, pero la verdad es que ese su esclavo disfruta allá abajo de una famita de macho fuerte que ya quisieran ganársela muchos para sí.

—Pues cualquiera que no fuese yo diría que me envidia usted a mi pobre esclavo. ¿Que no está usted contento con su suerte? Parece mentira. Lleva usted muy gallardamente los cuarenta y pico.

—Ya lo creo. Pero no es por eso, precisamente, que envidio a su mulato. ¿Qué me importa su vigor ni lo que apechuga? Es el modo como se alimenta a ese tiburón de tierra. Esa es suerte; lo demás, rosquitas y mazapanes. ¿Le parece a usted poco que las más encopetadas de nuestras mujeres se ocupen en mandarle a ese negrazo lo mejor de sus esclavas? ¿Quisiera usted todavía más? Nosotros, cuando queremos conseguir a cualquier damisela de esas del pelo, tenemos que llenar, como dicen los golillas, tantos trámites y otrosíes, que cuando llegamos al fin, si es que llegamos, es gastados de paciencia, dinero y hasta de ilusión.

—El que quiera cinta buena a Cartagena, como dice el dicho. Y luego que usted está ya prohibido de comprarla. Al menos así lo creo yo. Por algo se llama esposa a la mujer que nos dan en matrimonio.

—Ciertamente, pero es que nunca faltan tentaciones hasta en la propia casa.

—¡Ah! ¡Esas teníamos! Luego hace bien su señora en quitárselas de encima. No puede ser más loable su propósito.

—No tanto, señor mío. ¿Qué se ha creído usted? Yo tengo en mucho la pureza de mi sangre. Ni la prodigo, ni la bastardeo, así como así, a la vuelta de una esquina.

—De una esquina no, pero dentro de la casa, a la vuelta de una puerta y como quien no quiera la cosa...

—¡Qué mal pensado había sido usted, don Juan Francisco! Pues sépalo usted, por si no lo sabe, que en materia de tentaciones sé donde me ajusta el zapato. No; es que mi mujer se imagina que todo dulce tiene moscas.

—Algo habrá visto, amigo mío. En cosas de faldas las mujeres nos adivinan hasta lo que soñamos. No impunemente se tiene una criada como la suya, que según dicen, quita el resuello a los casados y el sentido a los solteros. Conque, vaya usted atando cabos, señor mío...

Don Baltazar, lejos de envanecerse con el elogio, como a esos señores cuando le celebran los caballos o los perros, se le atravesó en la garganta, y sólo supo responder:

—Lo peor es que yo, para convencer a mi mujer de que está equivocada, he tenido que tomar una resolución, dejando escrúpulos a un lado. Y aquí me tiene usted en pos de un favor suyo.

—¿Un favor? Pues el que usted guste, mi don Baltazar. Ya sabe usted que en eso de servir a mis amigos soy todo voluntad. Usted dirá de qué se trata.

—Pues de eso, de mi criadita y de su... mulato. Me tiene usted haciendo en esto lo mismito que los peones de los diestros en las corridas de toros. ¡Valiente oficio el mío! ¡Por vida de!... Si cuando a las mujeres se les mete una cosa...

—¿Me habla en serio don Baltazar?

—¡Vaya que no! Y en negro, porque no puede ser más negro lo que me pasa y lo que traigo entre manos. Se trata de arrojarle a la fiera esa, nada menos que a una de mis criadas, a la mejor en todo sentido, vamos. Y eso, como usted verá, equivale, para un buen amo, a un sacrificio. Pero hay que hacerlo. Es la única manera de que yo pueda vivir con mi mujer en paz y gracia de Dios. Y la única también de verla aliviada de sus benditos celos y de su jaqueca sempiterna.

—¿Y por qué no se quita usted de encima ese quebradero de cabeza vendiendo a la moza, regalándola o manumitiéndola?

—Fué lo primero que se me ocurrió. Pero más tardé yo en decírselo a mi mujer que ella en salirme al encuentro con un mundo de razonamientos, y tuve que ceder. "Que ella necesitaba a esa muchacha por ser voluntaria para el trabajo... Que ya estaba acostumbrada a su servicio... Que una vez parida sería una ama de cría envidiable para el niño que nos iba a venir... Que con esto se moriría el perro y se acabaría la rabia"... Y como yo le observara que con ninguno de nuestros criados había que pensar en casarla o unirla, porque todos eran ya macucos o comprometidos, me contestó: "No sé; tú verás cómo salimos del trance. En todas las casas de Piura las criadas paren, y no sé yo que esto sea, por supuesto, dentro del matrimonio. El matrimonio para la gente, para los de nuestra clase. Ve, pues, por ahí adónde mandar esa moza y entrégala por un mes para que se le quiten todos los dengues y pezpiterías que tiene y deje libre de tentaciones a los malos maridos". ¿Me ha oído usted, don Juan? *"De malas tentaciones"*. Y aquí me tiene usted en pos del favorcito, que no es grano de anís.

—Bueno, bueno. De haber inconveniente no lo hay. Mis criados se entenderán con eso. Ahí está el negro Antuco, a quien, según creo, ya no se le encandila el ojo por la canela, y a la Casilda, que parece entendida en esos corretajes desde que la perdí de vista. No soy yo, por supuesto, quien va a terciar en el asunto. Allá mi antecesor, que no dejaba encuentros en el galpón y el yeguarizo sin que él interviniera. Se había empeñado el buen señor, a todo trance, en sacar por este medio buenos productos, como decía él, para el carguío y su industria. Genialidades de don Diego. Yo, si necesito una buena acémila o un magnífico esclavo, los compro. Lo demás es perder tiempo y meter las manos en cosas no muy limpias.

—No diga eso, que no hay cosa que más castigue que la lengua. Hay que meterlas alguna vez, mi don Juan. Y en esto del apareamiento de los esclavos, bien pueden los amos intervenir sin desdoro, como se hace con los caballos y los perros. Esclavos y animales son una misma cosa.

—No, si por lo de usted no lo digo. En todo caso usted no hace más que someterse a las circunstancias. La paz del hogar es primero que nada.

—No tanto; lo primero es la sangre, mi señor don Juan, a la que hay que evitarle el riesgo de que se bastardee o prostituya. Y usted sabe lo que es tener hijos en una esclava.

—¡Qué he de saberlo yo, mi don Baltazar! Jamás tuve tentaciones por ese lado. Los Ríos de Zúñiga y Peñaranda y del Villar don Pardo sólo supieron beber de fuentes puras y cristalinas y en jarro de plata, mi querido amigo.

—¡Hum! ¡Cómo se conoce que no sabe usted lo que es beber en coco, en esos coquitos de ébano y coral, venidos de Panamá y de Cuba! El agua que se bebe en ellos es una delicia de puro fresca.

—Pero por lo que dicen nuestros esclavos, que deben de tenerlo más sabido que nosotros, el mejor vaso para beber es el de plata. ¡Y lo que suspiran los pobres diablos por beber en un vaso de esos, siquiera una vez en la vida! Aquello debe ser para ellos como la manumisión, más que la existencia misma.

—¿Cree usted que bestias semejantes piensen así?

Y Rejón de Meneses, cuya afición al ébano y al ámbar vivos le sugería una cáfila de argumentos en favor de su tesis, pero que él creía inútil exponer ante una persona, cuya erótica sensibilidad parecía embotada por la fiebre del negocio, después de algunas protestas de agradecimiento, se retiró, pensando para sí:

—Este de los Ríos de Zúñiga ha vuelto de sus viajes tonto o hipocritón. ¡Cómo no salga después chivateándome a la Rita!

II

LA TINA

La Tina era en 1816 un caserón de adobe, ladrillo y
paja, levantado a sotavento de la ciudad, unos quinientos pasos más allá de su extremo norte, besando la es-
carpada margen derecha del Piura y sobre una prominencia del terreno. Vista de lejos, semejaba de día, por su
aislamiento y extensión, un castillo feudal, y en las noches, un aguafuerte goyesco.

En ella nada de ostentación ni estilo arquitectónico.
Tras del claveteado portalón de la fachada un zaguán,
con poyos de ladrillos paralelos, dividiendo, salomónicamen-
te, el edificio en dos hileras de cuartos, la una mirando al
sur, y la otra, al norte. Al centro, dos inmensos patios; al
fondo, la corralada imprescindible.

No parecía una casa hecha para habitar, por más que
en ella vivía gente de toda condición, sino para el trabajo. Los que la construyeron no tuvieron en cuenta, seguramente, el esparcimiento y la comodidad, sino la necesidad de la industria que en ella se iba a establecer y los
buenos pesos columnarios que iban a ganar. ¿Para qué,
pues, alardes de arte y lujo? ¿Para qué granito ni azulejos
ni mármoles? Para qué rejas de hierro, de dibujos ca-
prichosos y complicados, como firma de virrey? ¿Para qué
columnas ni muebles con pretensiones dieciochescas? ¿Para qué ese derroche inútil, teniendo a la mano tierra, agua
y yeso? Y paja y algarrobo también. El cedro centroameri-
cano estaba demás, y los enrejados limeños, y las piedras
y los tapices y las alfombras españolas.

A los buenos piuranos les bastaba entonces edificar
con los materiales que veían en torno suyo. Así habían he-

cho casi todos sus antepasados y así tenían que hacerlo ellos también. Y si no, ahí estaban las casas solariegas de la plaza, erigidas por los fundadores de la ciudad, por esos varones fuertes y fieros venidos de repente de la tierra hispana. Donde no hay mármoles ni hierro ¿quién piensa en esculpir ni forjar?

Posiblemente esto fué lo que pensó el fundador de La Tina, el licenciado don Cosme de los Ríos. De ahí que saliera aquel plebeyo caserón desmesurado, disforme, recio y sombrío, a pesar de las torrentadas de luz con que lo bañaba el sol diariamente, higienizándolo en las mañanas por el fondo y dorándole el frente en las tardes. Pero esto mismo le daba durante el día un aire de sopor y pesadez, que parecía aumentar con el aislamiento en que se hallaba. Porque La Tina era algo independiente de la ciudad; un solitario, un eremita, algo así como una interrogación para los que venían de fuera, y un guardián para los que venían de adentro.

La clase de industria a que había sido dedicada exigíalo así. Fabricar jabones y curtir pieles era un trabajo que obligaba a alejarse de la comunidad y a seguir ciertas prácticas para poder desenvolverse favorablemente. Las tinas venían a ser entonces para la industria jabonera lo que los lazaretos para ciertas epidemias: lugares de reclusión y aislamiento. Por esta causa, más que casas de habitación, de comodidad, de holgorio, eran verdaderos centros de exilio, en donde un tratamiento feudal pesaba sobre el obrero como un yugo, del que sólo se sentía libre y consciente fuera de ellos. Entonces, como ahora, todo el interés del industrial, del amo, estaba en sacar de la máquina humana el mayor rendimiento posible. Por eso veíase detrás de la falange esclava al capataz fornido, azuzándola, implacable, con su ronzal, y detrás de la falange libre, al sobrestante fiscalizador, listo para regatear el tiempo y el salario y para despedir también.

Y en este vértigo del trabajo el negro era el que más contribuía con su sangre y su sudor. Al igual que las bestias, se le daba ración contada y medida. Al levantarse, el culén o la yerba luisa y un bollo de pan, elaborado por el mismo esclavo, o traído de alguna tahona miserable. Al mediodía, caldo gordo o sopa boba y un mate de zarandajas con arroz quebrado y ripioso. Así también en la merienda. Apenas si uno que otro día de la semana le caía entre las manos los restos malogrados de algún camarico, o una lonja de tasajo, o un paila de arroz con dulce, o un tinajón de champús, o una cabeza de plátanos verdes para asar, dado todo con alarde de liberalidad por algún patrón de conciencia más o menos católica.

Y a cambio de esto once horas de trabajo: de cinco a seis, con dos horas de descanso de por medio. La campana era la encargada de avisar. Con una precisión desesperante mandaba y había que obedecer. Un grito de ella descabezaba el sueño más profundo haciendo refunfuñar al retardado. ¡Y con qué rabia se la oía! Sólo a las once de la mañana y a las seis de la tarde recibíanse sus plañideros toques como la liberación de una abrumadora y ominosa carga. Por eso los esclavos de La Tina, cuando pasaban delante de la que había en ella, mirábanla con una mezcla de odio, agradecimiento y temor.

Y lo hecho por esos hombres era una verdadera labor de esclavos: monótona, renegada, mezquina, mediocre, triste. De esas manos, callosas y bastas hasta la deformidad, salían el sebo y las lejías convertidos en panes negros y nauseabundos; y las pieles, en tiernos cordobanes, resistentes becerros y suelas broncas, coloradas y escandalosamente pestilentes, que iban después a inundar los mercados del corregimiento.

Y como don Cosme de los Ríos, a pesar de su espíritu económico, era un hombre que sabía hacer, cuando en su interés estaba, las cosas en grande, en grande hizo su tina. En el lado norte la tenería, con sus cinco noques de pelambre, sus seis piezas llenas de cubos para los jugos agrios, de batanes para infurtir y de arcones para el alumbre, la cochinilla, el tártaro y el campeche. Y más allá la *ramada* para el desborramiento y la descarnadura; la sala de alumbar y los depósitos de cal y de charán y demás frutos y cortezas curtientes. Por último, lindando con los corrales, el molino y cinco noques más para las pieles de ganado vacuno, cuyo desangre, reverdecimiento y baño exigían estar alejados de toda pieza habitable y a mayor proximidad del río.

Al sur, la sección destinada a la jabonería con su almona, en donde se ocupaban media docena de hombres en reducir unas grandes marquetas de materia negra y sebácea, a panecillos, los que, envueltos después en hojas secas de plátanos o en pancas de choclo, parecían tamales o *rayados,* que incitaban a morderlos. Y hacia el extremo oriental, el matadero, la pellejera, la grasera y cuatro enormes tinas de jabón, dos de ellas conectadas con la almona del norte y dos, con la del sur. Y entre esta baraúnda, los hornos de fundir y los de cocer ladrillos, que eran cuatro torres de adobe, macizas y rechonchas; empenachadas de humo en el día y de púrpura en la noche. Y cerrando el cuadrilátero, los corrales, con sus pesebres, sus abrevaderos y sus horcones para mancornar y castrar el ganado. Todo esto defendido por una estacada de algarrobo, empinada sobre el río, que hacía a la casona inaccesible por esta parte.

Y era en este edificio donde don Juan Francisco, el nieto de aquel hidalgo industrioso del siglo XVIII, desdeñando las comodidades de su casa señorial de San Francisco y el regalo de un mediano pasar, había venido a establecerse, después de readquirirla por un capricho de la suerte, resuelto a amasarse en ella una nueva fortuna.

El abuelo no supo o no quiso prestarle al negocio la atención que merecía. Parece que por encima de su interés puso siempre todas las solicitudes del placer y de la rumbosa y buena vida. Y la vida buena para él consistía en un soberbio caballo de término, en electrizante golpe de arpa, unas buenas damajuanas de moscorrofio, de ese de cordón, y una media docena de mozas del partido. Porque al *Gallo de Morón,* como le daban por nombre de guerra a don Jaime, por llamarse así la pampa en que estaba erigida La Tina, le gustaban las mujeres por pares y el aguardiente por arrobas. A su muerte el negocio quedó naturalmente resentido. El jabón y las pieles, aunque humildes por su origen, parecen ser soberbios por los servicios que prestan. No perdonan negligencia ni despilfarros. Por lo mismo que en el comercio se les tenía por artículos nobles, su salida estaba sujeta a la ley inexorable de la demanda. Y los consumidores, que al principio comenzaron por murmurar del peso del jabón, terminaron por despreciar su calidad y retirarle su confianza.

Fué en esta condición de descrédito, que don Diego Farfán de los Godos no pudo salvar, que el nieto de don Baltazar recibió La Tina, cayendo entre las cuatro paredes de la maltrecha fábrica. Junto con el traspaso se le dió una docena y media de esclavos, viejos en su mayor parte, dos de ellos medios bozales y sin cristianar, y al frente de este rebaño a un mulato veintiocheno, exúbero de belleza varonil, con vigor y flexibilidad de pantera javanesa y mirada soberbia y firme.

Don Juan Francisco no podía hacerse ilusiones con este deteriorado capital negro. Era preciso reforzarlo y hacerlo a todo evento productivo. Y no sólo en el sentido del rendimiento muscular sino en el de la producción. No era razonable ni conveniente seguir haciendo lo que hacían los otros amos en las tahonas, los trapiches y las tinas: condenar a esos *semovientes* al ayuntamiento clandestino y a salto de mata. ¿Por qué no dejar a aquellos pobres seres en libertad de buscarse, de unirse y de propagarse como las bestias, ya que así se les trataba? No, aquello no podía seguir así. Había que estirpar todas las causas que los llevaba a desvirilizarse en las prácticas de Onán y de Sodoma, afeminándoles, y envejeciéndoles tempranamente, con perjuicio del señor.

"Esto no puede seguir así. Hay que levantar un poco su condición de hombres —concluyó pensando don Juan Francisco, un tanto bien intencionado, tal vez si por el ejemplo de lo que había visto en tierras de libertad durante sus viajes— que hombres son, a pesar de todo lo que digan los prejuicios de raza y los distingos de teólogos y frailes". Y psicólogo a fuerza de soledad y aislamiento, añadió: "Hasta en los animales la elección es un atributo del instinto reproductor. ¿Por qué, pues, no dejar a mis esclavos en plena libertad de reproducirse? ¿Por qué intervenir, como los demás amos, en un acto que sólo les incumbe a ellos? ¿Por qué privar a estos pobres seres del encanto de la conquista erótica, del orgullo del triunfo, de la embriaguez de la entrega, de la ilusión consoladora del *siempre y del jamás*".

Y don Juan acabó por admitir que todo esto era preferible a esos odiosos y bestiales acoplamientos, discutidos y preparados por los amos, y de los cuales no sabía qué admirar más, si el descaro del que pedía el servicio o el allanamiento del que lo prestaba.

Mas, a pesar de estos dignificadores pensamientos, el amo y señor de La Tina no había sabido aquella tarde de la visita de Rejón de Meneses cerrarle el paso a la vieja y hedionda costumbre. Y es que en el fondo de esta actitud había surgido de repente un interés: recibir a la moza, casarla con su capataz si éste la aceptaba por mujer, y dedicarla al servicio de su hija, que pensaba traer a su lado muy pronto.

III

UNA LLEGADA INTEMPESTIVA

Pero todo este proyecto del dueño y señor de La Tina quedó sin pasar más allá de la intención. Cuando más encariñado estaba con él cayó una noche, casi de improviso, una persona que se lo desbarató de un golpe o, por lo menos, se lo aplazó.

Fué ésta su hija María Luz, venida de Lima de repente, enliterada y seguida de una cabalgata bulliciosa de jóvenes paiteños, entre dos alas de flamígeros hachones, como una procesión. Y si bien era cierto que la llegada de esta hija se realizaba en momentos en que la soledad y misantropía de don Juan necesitaban un poco de alegría, atenciones y amor, tanto más necesarios cuanto más poseído estaba él por el prosaísmo de la vida, también lo era que con esa llegada sus cuidados iban a multiplicarse y dividirse.

No se vela así no más por el alma y el cuerpo de una hija sola, sobre todo cuando esta hija ha crecido a la sombra de otras costumbres, de otras ideas y de otro medio. ¿Por qué diablos se la habían mandado tan intempestivamente? ¿Por qué no habían querido esperar que él fuera por ella, como lo indicase en otra ocasión, en vez de remitírsela, ni más ni menos que un fardo, por más que se hubiese querido disimular esto con recomendaciones de última hora? Apenas si había tenido tiempo de enterarse por un propio de Paita del arribo de su hija a ese puerto y de improvisarle un alojamiento adecuado. ¿Se habría hartado del pupilaje de su hija su cuñada? En la carta que ésta le escribiera y le entregara María Luz,

si bien las razones que le daba no pecaban de cortas, él
no había querido entenderlo así. "Hemos creído conveniente enviarte a nuestra sobrina, porque las cosas se van
poniendo aquí de día en día más encrespadas. Los píca-
ros insurgentes se atreven a entrar ya en el Callao. Hace
pocos días que uno de esos piratas llamado *Brun* —!qué
nombres los de esta canalla!— se metió de noche en la
bahía; al día siguiente cañoneó la población y echó a pique una o dos fragatas, aunque no estoy segura de la
noticia, porque aquí tratan de ocultar estas cosas. Luego
se retiró, pero días después volvió a entrar y hacer de
las suyas. Ya ves tú lo amenazados que estamos. De repente se viene a Lima y entonces qué va a ser de nosotros. Y, además, la llegada de los *talaveras*, que nos tienen con el credo en la boca, porque, según dicen, son
unos demonios que no respetan nada y se meten donde
quieren a comer y dormir. Figúrate que se les antojará
escoger nuestra casa para eso... Así es que aquí vivimos
amenazados por los de afuera y los de adentro. Y como
tu hija es una tentación y nosotras estamos casi siempre
solas, pues Gonzalo pasa la mayor parte del tiempo en
Villaseñor, donde sus parientes, estoy naturalmente temerosa de que nos pase algo".

Y así seguía la carta, larga y tendida, amontonando
razones y disculpas por el envío de María Luz, las que,
por más justificadas que parecían, no lograron satisfacer a don Juan.

"¡Bah! —concluyó pensando él— ¡Venirme a mí con
Brunes y talaveras! Aquí lo que hay es que me he des-
cuidado con las remesas de dinero para los gastos de María Luz, y como estos suman algunos cientos de pesos,
que mis buenos parientes creen que no se los voy a reem-
bolsar, de ahí esa cartita de apaga y vámonos. Pues bien,
hay que remitirles esos pesos en el día y pasarle una ra-
ya roja al nombre de esos parientes. Y ahora a ver cómo nos la componemos con la compañía de esta señorita, con quien, dicho sea de paso, voy a tener que hacer
hasta de madre".

Y su primer pensamiento fué irse a habitar con ella
en su casa de San Francisco. Pero aún no había acabado

de proponerse tal pensamiento cuando tuvo que renunciar a él, pues no sólo su casa estaba un poco destartalada, sino que todo lo que en ella había pedía a gritos renovación. El vaho corruptor de una larga clausura había deshecho la seda de los damascos y terciopelos y carcomido la madera de los muebles. Por otra parte, un alojamiento semejante tenía que obligarle a dividir su atención entre la fábrica y la ciudad, a aumentar la servidumbre, a recibir visitas con frecuencia y retornarlas, cosa que no cuadraba con sus ideas y costumbres, y a dar de tarde en tarde algún sarao, con el riesgo de no dejar satisfechos a sus invitados y ser la comidilla de ellos.

Y, sobre todo, ¿qué iba a hacer ahí durante el día su pobre hija sola sino aburrirse? Este último razonamiento, hecho en forma categórica, lo decidió a desistir de toda idea de división de domicilio, y prefirió dejarla en La Tina, sacrificándola a las exigencias de sus negocios, en vez de entregarla inmediatamente a las exigencias del mundo social; confiado en que siempre habría de encontrar en él un buen puesto para los dos y en que sus pesos de buena ley, sacados del fondo de sus tinas de jabón y de sus noques, le habrían de conseguir un buen partido para María Luz.

Y se aferró más a esta idea al ver después a su hija sonreír con complacencia a todo lo que él le refería sobre la vida provinciana, y aceptar, al parecer gustosa, su nueva situación. Pero es que don Juan tenía más ojos para la vida exterior que para ciertas cosas del mundo espiritual, y menos para las que pudieran agitarse en la imaginación de una mujer. Su perspicacia estaba como absorbida por las atenciones de su negocios. Sabía cuándo la gente estaba contenta, pero no cuándo estaba aburrida; cuándo un vecino suyo venía a fiar con ánimo de trampearle, pero no cuando una joven sonriente suspiraba por dentro, ahogada de nostalgia y tristeza. No conocía las artes del disimulo, ni la máscara del aburrimiento, ni las sonrisas nerviosas del llanto, ni las súbitas alegrías o desfallecimientos de la pubertad femenina. El suponía a su hija contenta y feliz al lado suyo, y para evitar que esta tranquilidad le fuera turbada lo menos posible, la había instalado en el piso alto, sobre sus habitaciones, con cierta independencia y dándole para su servicio dos criadas, la una, joven como ella y la otra, vieja, su antigua nodriza, agradecida esclava de su casa.

Y la joven era la Rita, que días antes de la llegada de María Luz, haba sido mandada al yogamiento con todas las recomendaciones y formalidades del caso, y recibida por la otra, la Casilda, con una caprina sonrisa de faunesa. Don Juan no había querido enterarse del encuentro, que se consumara la primera noche al rumor de los comentarios obscenos del galpón y de la inconsciente deshonestidad de la vieja esclava.

Pero como al día siguiente don Juan Francisco, al cruzar el patio de la fábrica, se sintiera ofendido con la presencia de la moza, y al mismo tiempo, compadecido de verla esquivar el rostro avergonzada y huir como una liebre, no pudo menos que arrepentirse de su condescendencia. En la almona su arrepentimiento fué mayor y tuvo hasta vergüenza de sí mismo.

Los negros, olvidados por un momento del respeto que le debían a su amo, soliviantados tal vez por la rijosidad que les atenaceaba las entrañas, recibiéronle con sonrisas maliciosas y un tanto llenas de reproche, como si hubieran querido decirle: "¡Cómo se ha olvidado su merced de nosotros! ¿Qué, sólo ese maldito de José Manuel es hombre?"

Y ante estas mudas interrogaciones, don Juan se retiró inmediatamente, sin ánimo para seguir su cotidiana inspección. Una vez en sus habitaciones, tocó una especie de gong, que pendía sobre una consola, y, como por ensalmo, apareció un negro patizambo, viejo, magro y enhiesto como un poste de algarrobo carbonizado.

—Vas a decirle a la Casilda que no quiero más apareamientos como el de anoche en esta casa. Basta ya de servicios de esta clase, que son una vergüenza. Que se lleve a su cuarto a la muchacha de los Rejones y que la tenga allí hasta que yo determine otra cosa. ¿Me has entendido?

—Comonó, su mercé: que la mulatía esa que trajieron ayer arrunfle con ella ña Casilda y que no se la güelva a echá al garañón...

—¿Cómo has dicho?

—Que la tenga a su lao pa que José Manué no la güelva a echá la garra encima.

El amo, indiferente a la variación de la respuesta, volteó las espaldas y se puso a pasear de un extremo a otro de la habitación, renegando de esa especie de proxenetismo inventado por la codicia de los amos y mantenido por la celotipia de sus mujeres. "¡Puah! —pensaba él—, hasta dónde puede llegar el deseo del lucro y la despreocupación de las gentes, a pesar del encumbramiento".

"¡No, qué diablos! Yo no estoy aquí para consentir esas cosas, aunque sea haciéndome el desentendido. Que se intervenga en el padreo de las bestias está bien. Las bestias son bestias y por lo mismo su acoplamiento a nadie humilla ni encela. Pero arrojar, para que le echen la garra, como muy bien ha dicho el negro Antonio, a una mujer casi impúber a un hombre, tal como en otros días se le echaban doncellas a los monstruos mitológicos para aplacar su salacidad, es un delito, del cual yo no puedo seguir haciéndome cómplice, sin faltarme a mí mismo el respeto y emporcar mi apellido, limpio hasta hoy de toda mácula".

Y, encogiéndose de hombros, acabó por tomar una resolución: quedarse con la mulatilla a cualquier precio y reservarla para el servicio de su hija, que pensaba traer al lado suyo. Y este propósito se vió realizado más pronto de lo que esperaba. Con la llegada de María Luz, su conciencia se aquietó y sus sentimientos paternales recobraron todo su imperio. En adelante no tuvo ya otro pensamiento que esta hija suya y el trabajo. Su vida toda giró entre estos dos ideales, de los cuales el uno le trasmitía el ardor y la fe necesarios para conseguir el bienestar definitivo, y el otro, la satisfacción de ver su yermo jardín espiritual alegrado con la belleza de una flor brotada de su sangre.

IV

EL SOL PIURANO

La tranquilidad de María Luz no era más que aparente. Educada desde los diez años entre gente acostumbrada al quebrantamiento de los nervios, a la sonrisa pronta y untuosa, al dominio de la contrariedad, le fué fácil ocultarle a su padre su pesadumbre por esta especie de enclaustramiento. Aquella vida era como un secuestro, como un encierro a perpetuidad, sin esperanza de cambio o fin.

Y todo contribuía a este disgusto: la situación de la casona, la calidad de sus moradores, las nauseabundas y pestilentes industrias que en ella se explotaban, el cuadro lastimoso de los que en ella instilaban, cotidiana y estérilmente, su sudor y su sangre y el monótono vaivén de los parroquianos, regateadores, pedigüeños y rapaces.

Sólo las puestas de sol alegraban su espíritu; unas puestas de sol que bañaban sus pupilas en oros y violetas de una pureza extraña; en morados y turquíes de una limpidez y suavidad de rasos impalpables; en ópalos de irisaciones nacaradas; en toda una escala de colores propios de los ocasos tropicales. En Lima no había visto jamás puestas semejantes, posiblemente porque la casa en que habitaba no se prestaba para ello o porque no tuvo tiempo y espacio para ver y admirar todo lo que estaba fuera de su hogareño mundo. O tal vez porque el sol era menos intenso allí.

Pero en Piura era distinto. En Piura el sol tenía que atraer forzosamente sus miradas y hacerla pensar en él y sentirlo dentro de sí, porque el sol piurano penetra hasta en las cuencas de los ciegos. Es una obsesión. En la mañana canta y se eleva como un himno triunfal; al mediodía cae a plomo sobre los seres y se prende de ellos en un abrazo lujuriante y enervador, y en las tardes, se retira con la pompa y la majestad de un rey, bajo un palio de celajes esplendentes, dejando tras de sí, mucho después de haberse ocultado, un halón de polvo de oro.

Y para la mujer el sol piurano es todavía más sol que para el hombre, porque es algo más que sol. Es él quien primero le habla a su sexo; quien la prepara y la incita a conocer el misterio de la fecundidad; quien la espolvorea en la mente el polvo mágico de los ensueños y en la urna sexual, los primeros ardores de la feminidad; quien le despierta tempranamente la imaginación a las falaces sugestiones de la especie y quien, en fin, la arroja, implacable, a la tristeza de las vejeces prematuras.

Y es que en la tierra piurana todo lleva el sello del sol. El está en la retorcida angustia de los árboles corpulentos y seculares, cuyos troncos fibrosos, de aspereza agresiva, parecen resquebrajados por el ardor estival; en las flores de pétalos carnudos, colores detonantes y matices múltiples hasta la infinitud; en la fragancia de los cálices, ahitos de polen y néctar; en el azúcar de los frutos y en el jugo de los granos; en las arenas grises y trashumantes, que al mediodía reverberan y abrasan y en la noche refrescan el ardor de los poblados y desiertos. Y está también en la salve matinal de los pájaros, en el celo de las bestias y en el larvamiento de las crisálidas. Es el sol el que chispea en sus pupilas y ruge en sus entrañas, el que hace más imperioso e insistente el reclamo, el mugido, el relincho y el arrullo, todas las voces másculas y milenarias de la sexualidad.

Y no sólo está en las bestias y en las cosas sino también en el hombre, y en todo lo que el hombre piensa y hace. Por eso el piurano oscila entre la actividad y la indolencia; entre la pereza y la acción; entre los entusiasmos fugaces y los aplazamientos indefinidos; entre el pesimismo y la credulidad. Y se esconde también en los ojos añorados de las mujeres, dilatando sus pupilas, ensanchando la abertura de sus párpados y orlándolos con todas las gradaciones sedeñas del violeta.

Por eso amar y odiar en esta tierra piurana es abrasarse en pasión, en fiebre. Se ama y se odia rabiosamente. Y en la misma proporción se abandona y se olvida. No hay en esta tierra cálida aquellas pasiones frías y tenaces que hacen la aspiración y el culto de una vida. La mitad de lo que se hace es obra del sol: los cuadros rembrandtnescos de Merino, las épicas hazañas de Grau, los rasgos de valor temerario de La Cotera, la vida borrascosa y romancesca de Montero, el marino, las audacias pictóricas de Montero, el pintor, el lirismo ardiente de Carlos Augusto Salaverry, el parlamentarismo idealista de Escudero, la estupenda impavidez de Aljovín ante el férreo bloque de una escuadra... El sol piurano estuvo en el alma de todos estos hombres; en los colores de sus telas, en el heroísmo de sus hazañas, en el romanticismo de su vida, en el acento de sus cantos, en el ideal de sus pensamientos, en el ímpetu de sus arrestos militares...

Este sol no venía a ser, pues, para María Luz sólo una alegría de sus ojos, sino un testigo de su tedio y su tristeza, y un sugeridor de sus pensamientos. ¡Cuántas cosas pensaba o recordaba entonces, desde el balcón en que se ponía diariamente a verle entrar! La alegría de su niñez provinciana, truncada por la muerte de su madre; sus diez años de vida limeña, especie de pupilaje sórdido, lleno de fingimiento y falsa solicitud, de pequeñas envidias y de premeditada explotación; la irritante actitud de sus primas ante las demostraciones galantes de sus admiradores, despechadas por los atractivos de una rival invencible; la alegría del primer baile y los galanteos de cierto primo taimado y calculador. Y luego las salidas de misa, llenas de color, movimiento y sorpresa; las procesiones aparatosas y solemnes, abigarradas y atosigantes de perfumes místicos y mundanos; el teatro, como un bazar de muñecas de lujo; el rodar trepidante de las calesas, dentro de las cuales algún señor enfático o alguna dama de opulentos ojos lucían su importancia. Y también el recibimiento de algún virrey, abrumado de vítores, casacas, cogullas, repiques, petardos, música, cabalgatas, toros, adulación y servilismo.

Y todo esto dejado de repente tal vez para no volver jamás. De la noche a la mañana, sin consultarse siquiera su voluntad, se encontró a bordo y navegando con rumbo hacia el solar nativo, a la tierra de sus progenitores, de sus únicos besos y caricias, al país de la arena y el sol.

Los quince días de navegación los tenía todavía prendidos de la memoria. El mar, los pájaros marinos, los peces voladores, el buque con su laberinto de palos, vergas y lonas hinchadas, hidrópicas de viento unas veces, otras flácidas, rugosas, mustias... Y los marineros, bronceados y peludos, con sus andares de pelícano y sus pipas eternas adheridas a la boca como la llave a la barrica, pululando por la cubierta, trepando por las escalas, cual monos descolados, o ejecutando alguna arriesgada maniobra. Y no podía olvidar tampoco las miradas que estos hombres, saturados de sal y hartos de continencia, le echaban al pasar. Eran unas miradas que no había visto nunca. Le parecía que esos hombres la desnudaban con los ojos y que, después de recrearse en los misterios de su cuerpo, con sádica delectación, le disparaban unos dardos candentes a las entrañas.

¡Qué hombres para fijarse aquellos! ¿Qué sería lo que en ella verían para mirarla con tanta obstinación e insolencia? ¿Por qué ese incesante pasar delante de su cámara, llevando su audacia hasta meter las narices por el ventanillo? Una noche llegó a sentir espanto. Sacudida por los estertores de una pesadilla, se despertó de pronto, perseguida por la visión de un rapto, del que ella era la víctima, y el raptor, un nauseabundo monstruo marino, que estrujaba su alba desnudez entre unos brazos constriñentes y viscosos como los de un pulpo.

La voz de las dos mujeres, en cuya compañía viajaba, acabó por volverla a la realidad, y desde entonces se creyó como manchada por la caricia posesoria del hombre. Su arribo a Paita fué como una liberación. Una vez en tierra le pareció haber salido de un peligro, del que sus compañeras, feas y cuarentonas, se habrían reído seguramente al adivinarle el pensamiento .

Ya en el terruño, estos recuerdos la hacían sonreír. ¡Qué ingenuidad la suya! ¿Qué podían haberle hecho esos pobres marineros, cuya fiereza caía rendida con sólo la presencia del cómitre y, por otra parte, acostumbrados a ver en otros mares y otras tierras mujeres, seguramente, más hermosas que ella? Verdad que debía de ser un suplicio aquello de estar tantos días en contacto con una mujer que se apetece, rozándose con ella inevitablemente a todas horas, viéndola comer, pasear y reír y llevándose en cada rozamiento un poco de su persona. ¡Lo que debieron sufrir los pobrecillos!

Mas una mañana, estando María Luz recostada sobre la barandilla del balcón que daba al patio, sorprendió posados sobre ella un par de ojos negros, ofídicos, que parecían decirle algo misterioso, y tras de esa mirada una cabeza que se rendía y una boca que modulaba estas palabras:

—¡Buenos días le dé Dios, señorita!

María Luz no contestó. La aparición de aquel hombre, que la saludaba con tanta reverencia, envolviéndola al mismo tiempo en una mirada unciosa, como no viera otra jamás, la conmovió e hizo retirarse.

—Casilda, ¿quién es ese hombre que va por el patio? Asómate y míralo —murmuró desde el fondo de su alcoba.

—¡Ah!, es el capataz, niña; un mulato con más ínfuras que un marqué y que to lo hase como favó. El amo lo tiene medio dañao.

—¿Por qué te figuras tú eso?

—Vaya, mi hija, porque no hay na que se haga en la frábica sin consultá a ese negro chala de mis pecaos.

—¿Qué es eso de chala?

—Que no es congo, mi niña, ni carabalí, ni mandinga, sino otra casta. Por eso e tan merengón y echao patrás.

—Parece que no fuera santo de su devoción.

—¡Jesú! ¡Que Dio, nuestro señó, ma libre de él! ¡Ma melindroso! Como que etá muy valío porque lo blanco de allá abajo lo prefién pa sus neguitas.

—¿Qué estás diciendo ahí?

—Lo que oyes, niña; que lo tienen muy engrío con eso e mandale pacá sus criadas pa que arretose con ella.

—¿Y quién es el que se las trae?

—Pues quién se las va a tré, mi hija, sino los amito de ellas.

—Eso no puede ser. Estás mintiendo, Casilda.

—Los amo precisaramente no, pero sí los criado de los amo, que casi e lo mesmo.

—Y él las recibe, naturalmente.

—El no; seré franca, mi hija. ¿Sabe quién? Pues esta vieja que se la han de comé los gusano. Yo las recibo y las preparo pa que vayan mansita al... ¿cómo diré pa no ofendé tu candó de asusena?... al ajuntamiento.

—¡Tú! ¿Es posible, Casilda? ¿Tú, la que se crió en mi casa, al lado de mi madre, viendo siempre buenos ejemplos? ¿Y cómo has podido cambiar hasta ese extremo?

—Por voluntá mía no. Ño Antuco lo manda y yo ejecuto, niñita. ¿Pa qué es uno esclava sino pa obedesé? Si me hago la maneterosa, ¡júa!, los látigos me hasen entendé. Y si supieras tú, lindura, que entoavía los que mandan a su neguitas se dan por bien servío del favó. ¡Jesú! ¡Como animale! Eso sí, conmigo nunca pasó eso. Y las pobresita cuando vienen paresen borreguita triste. Y él, un lagarto... Es desí, supongo yo.

—Me estás contando unas cosas, Casilda, que si yo las hubiera sabido antes de venir no me habría alojado en esta casa. ¡Y que hayas sido tú la mediadora!

—Obedesé no es pecao, niña. Pero ya no tienes por qué furruñarte, preciosura. Amito Juan acabao con el costumbre aluego que aventaron pacá a la Rita.

—¿Qué? ¿Esa muchacha fué traída también para eso? ¿Y por qué está a mi servicio entonces?

—Porque molesto er señó, según me dijió ño Antuco, ar día siguiente de haberla entregao yo al negro chala, mandó quitala y ponela acá arriba, junto conmigo, hasta que vos vinieras.

—¿Y desde entonces la Rita no ha vuelto a verse con ese hombre?

—Nunca má. Yo sé, amita, cómo se cuida el choclo pa que no se lo coma el perico. Y la zambita parece que no lo ha sentiro tampoco. Y yo estoy po crelo.

—Bueno, sigue en tus ocupaciones y olvida lo que hemos conversado.

—Como si hubieras tirao una piedra a un poso.

V

UN PASEO POR LA FABRICA

—Ya está el hombre en el patio, niña María Luz —avisó la Rita, ruborosa y agitada, tal vez si por la prontitud con que había subido la escalera o por el encuentro que acababa de tener.

—¿Quién? —exclamó María Luz, que, absorbida por el arreglo de su tocado, parecía olvidada ya de lo que ordenara media hora antes.

—Matalaché, mi ama.

—Mira, Rita, no quiero oír pronunciar ese apodo en esta casa. ¿Me has oído? Ni ningún otro. Eso está bueno para la canalla. A la gente hay que llamarla por su nombre.

—Perdone, mi ama. Como así lo llaman todos, creí que no había falta en repetilo.

—Falta no, pero menosprecio sí. Llámalo por su nombre.

—Pues... José Manuel está allá abajo, niña.

María Luz, acompañada de la Casilda, bajó. Aquel día se había levantado con la idea de pasear la fábrica, de conocerla, pues hasta entonces no había pasado de sus habitaciones y las de su padre, a las que bajaba sólo a comer, recibir visitas y matar las noches jugando al dominó o las cartas. Y para esto creyó que el más aparente para guiarla e instruirla de todo era José Manuel. Con su padre no habría tenido libertad de saber todo lo que quería, y su presencia sólo habría servido para cohibir a todos. Además, la idea se le había ocurrido aquella mañana, mientras su padre se dirigía a la ciudad a arreglar sus asuntos. Todo, pues, contribuía a que la visita se hiciera como ella había pensado.

La comenzó por el costado sur, por la curtiduría, que era una pieza de unos cien metros cuadrados, en la que ocho o diez peones, casi desnudos, greñosos y con los muslos apenas defendidos por unos calzones de piel de cabra, se ocupaban en quitarle los últimos pelos, con unos pequeños cuchillos de madera, a las pieles recién salidas de los noques de pelambre. El cuadro no podía ser más desagradable. Los cueros, lívidos, tiernos y viscosos, despedían una hediondez acre y punzante, que se agarraba a las mucosas y la faringe horriblemente. Una espesa nube de moscas zumbaba por todas partes, impidiendo casi hablar, por temor de tragarse algunas, a pesar de que la Casilda las oxeaba con una rama de sauce.

María Luz pasó por este nauseabundo lugar rauda, con los nervios crispados y la nariz cubierta con un fragante pañuelo de batista.

—¡Puf! Si sigo allí más tiempo me desmayo. ¿Y cómo puede esa pobre gente estar allí todo el día?

—La costumbre, señorita —respondió José Manuel, con una sonrisa obsequiosa y luciendo dos perladas hileras de dientes, que en la boca de una mujer habrían sido causa de envanecimiento—. El cristiano a todo se acostumbra, hasta al ronzal, aunque parezca mentira.

María Luz oyó como distraída la respuesta e interrumpiéndole preguntó:

—¿Es de ahí de donde salen esos cordobanes y esas suelas que tanto vienen a buscar aquí?

—Sí, señorita. Y las vaquetas para los sillones y almofreces, y las badanas para el calzado de las mujeres y los cinturones de los hombres, y los tafiletes para las sillas de montar.

—¿Y aquel cuarto que sigue...?

—Es el depósito del charán, señorita.

—¿Son esas vainas negras, como la algarroba, que están allí regadas? ¿Eso comen también los animales?

—No, su merced; son para el curtido de las pieles. Primero se amartajan en el molino, que es ése que está allá abajo, y después se echan en los noques. ¿Querría usted, niña, ver andar el molino?

—No me disgustaría...

José Manuel tocó un silbato y al punto apareció un negro joven, estrábico y de chimpancesco mentón. Su negrura y fealdad al lado de la arrogante figura de José Manuel resaltaban enormemente. Era un congo en toda su pureza, sin bautismo todavía y tan taimado y remolón, que casi siempre contestaba a todo con un gruñido, echándose luego a reír, con carcajeo estertorante que crispaba.

—Engancha el macho —ordenó José Manuel— y pon un poco de charán para que el ama lo vea moler.

El negro enganchó el mulo a la palanca en un santiamén. En seguida tomó un ronzal y, haciéndolo restallar, gritó a la zaga de la bestia:

—Arriba, machito, mañosito, marrajito, que te va a ve remolineá la niña ma linda que pisa tierra e cristiano. ¡Jiá!, ¡jiá!, ¡jiá!

—Parece bobo el pobrecillo —murmuró María Luz, no muy disgustada por el requiebro que acababa de oír.

—Parece, pero no lo es, niña Luz. Se hace el tonto y nada más. Es la manera como él cree que puede pasarla mejor, con el fin de inspirar lástima a la hora del castigo.

—¡Pobrecillo! ¿Y tienen los capataces alma para castigar a este infeliz?

—Desgraciadamente hay que hacerlo a veces, señorita. El loco por la pena es cuerdo.

—Y soberbio también. —añadió el congo, quien con un ojo miraba al mulo y con el otro al grupo que rodeaba a María Luz.

Y, después de una epiléctica carcajada, comenzó a canturrear:

"Cógela, cógela, José Manué;
mátala, mátala, mátala, ché".

Y al cantar esto el congo, parecía evocar algo que le hacía brillar una maligna intención en los ojos.

—¿Y por qué canta así? —preguntó María Luz, extrañada y recelosa por el sentido de la copla y la intención del negro.

—Es un estribillo que usa para alentar al macho en su trabajo. No sé de dónde lo habrá sacado, señorita.

—Yo no sacaro, José Manué, Mangache cantao así y neguito congo aprendió canto.

—¡Vaya con el bellaco! —murmuró José Manuel, volviéndole las espaldas desdeñosamente e intentando desviar la atención de su ama de un punto que podría provocar explicaciones escabrosas y desagradables.

El congo, estimulado por la tolerante actitud del ama, se atrevió a rematar la intencionada copla:

"No te la coma tú solo, pití;
deja una alita siquiera pa mí".

Pero no bien había terminado, cuando la Casilda, que hasta entonces permaneciera callada, se arriesgó a decir:

—¡Qué negro tan desvergonzao! ¡Qué bien le vendría uno veinticinco asote!

—Calla tú, Casilda —prorrumpió imperiosamente María Luz—. Nadie te ha autorizado para que hables por mí.

—¡Sóplate esa! —rugió el congo, volviendo a reír alborozadamente—. Nega Casilda no moletá, amita. Ella ayudao matá cabrita José Manué, y pa nego congo na.

—¡Basta, animal! —gritó María Luz, volviéndose airada al desvergonzado negro—. Si vuelves a reír y a decir sandeces te hago enganchar en lugar del macho y dar vueltas todo el día.

El congo, con las manos en actitud implorante y los ojos entornados, cayó de rodillas y, con voz plañidera, murmuró:

—¡Mi amita, mi señorita María Lu, neguito no rirá ni cantará ma, manque muera e pena! ¡Perdón pa su neguito!

—Sigamos la visita —exclamó María Luz, alejándose del molino y dejando al marrullero esclavo en su grotesca actitud.

El grupo cruzó, casi sin detenerse, la pellejera, llena de rumas de pieles, separadas y clasificadas comercialmente, y fue a parar en la almona, que era la pieza fundadora de La Tina. En ella se iban colocando, sobre altas y largas barbacoas de varengas de algarrobo, las bateas de jabón que cada operario laboraba en el día, y que después pasaba a la tienda de expendio, que estaba al pie.

María Luz tampoco encontró aquí nada digno de mayor curiosidad. El suelo, resbaladizo, a causa de los pringues del sebo y del jabón, no la dejaba andar libremente. Avanzaba temerosa de una caída, y varias veces tuvo que apoyarse en su nodriza para no caerse y dar un grotesco espectáculo.

Entraron luego en el patio de las tinas. Eran éstas cuatro enormes vasijas de cobre, sentadas sobre sendos cubos de mampostería, especie de tarascas insaciables en las épocas de cocción, por cuyo vientre habían pasado en su vida semisecular bosques enteros de algarrobo. En cada una de aquellas vasijas podía cocerse una tonelada de jabón. Aparecían en fila, panzudas, ennegrecidas y laquedas por el fuego; circuídas por una plataforma de adobes y tablas, destinada a facilitar el acarreo y extracción de las materias saponíferas, para lo cual se hacía uso de unos grandes cucharones de zapote. Era esta una operación bastante penosa, que salcochaba el vientre de los que la ejecutaban, atosigándoles y derritiéndoles en sudor. Como este cocimiento se hacía generalmente en la noche, para evitar la abrasadora y enervante acción del sol, María Luz no pudo verle y tuvo que contentarse con hacerle a José Manuel algunas preguntas sobre el particular, que éste contestó satisfactoriamente.

En los corrales tampoco hubo nada digno de verse. Todos los animales, como de costumbre, se encontraban ya fuera, paciendo y ramoneando en el campo. Sólo algunos burros, indiferentes a ese concepto humano que el hombre llama miramiento, holgaban en forma tal que obligaron a María Luz a retirarse apresuradamente y arreboladas las mejillas de rubor.

—¿Y esos torreones...? —preguntó ella, con la voz estrangulada todavía por la emoción.

—Son los hornos de fundir, señorita, en los que se sueldan o rehacen las piezas que se rompen. Uno de ellos está malogrado. Ya le he dicho al patrón que convendría componerlo.

—¿Y esos otros dos?

—Los hornos, para el ladrillo.

En la parte norte todo era más o menos igual. Pasaron de largo por la almona nueva y fueron a visitar la enfermería, en la cual sólo había una persona, que era la enfermera, una zamba madura y entrecana, de aire avisado y marrullero, perceptible a cien leguas de distancia, y la cual, al ver a María Luz, salió a recibirla con muchas genuflexiones, al mismo tiempo que enhebraba un ovillo de algodón pardo.

—Hasta hoy sólo te había visto de lejos. ¿Cómo te llamas tú?

—Martina, señorita, pa seví a su mersé.

Y dirigiéndose a los demás, en tono adulador y seguramente con la intención de que la ama la oyese:

—¡Mi Señó del Güerto!, que se me caigan los ojos orita mesmo si en mi vida e visto nada más mejó. ¡Jesú, la mesma Virgen!

—¡Vaya, que todas ustedes habían sido igualmente aduladoras! ¿Que no has tenido otra cosa más apropiada para compararme?

Y dándole una palmadita cariñosa a la zamba:

—Cuando tus ocupaciones te lo permitan sube a verme, que tendré gusto de oírte.

—¡Gracias, su mersé! Aquí onde usté me ve, así tan rangalida, sé muchas cositas pa entretené, niña, y muy buenas pa matá el aburrimiento cuando se está tan solita como su mersé. Para eso manejo yo las cartas que hay que vení ojos a ve, mánque paresca alabanciosa al desilo. Y también las hago hablá y desí la güena suerte.

—Bueno, bueno. Me alegro de saber todas tus gracias. Ya me las enseñarás —la interrumpió María Luz, poniéndole punto a la conversación y pasando al galpón de los negros.

Cuando éstos la vieron llegar, dejaron de lado sus quehaceres, y, levantados como al impulso de un resorte, quedáronse mirándola, con fijeza y codicia tan honda, que ella no pudo menos que recordar otras miradas, aquellas con que los hombres de abordo la desvestían y mancillaban al pasar. Era una veintena de esclavos, nervudos, musculosos y renegridos como tizones enhiestos. Apenas se les veía el blanco de los ojos y sobre los belfos, arremangados y túrgidos, una sonrisa bicolor. Sus miradas reflejaban todo el ardor de la continencia forzada, el ansia de deseos mal contenidos, el grito sofocado de la virilidad comprimida. Eran unas miradas estuprantes, que levantaban las ropas mujeriles y acariciaban las carnes con viscosidad de caracol; una mezcla de rencor y súplica, de lujuria y castidad.

Seguramente jamás habían visto aquellos infelices tan de cerca y en toda su seductora sencillez a una mujer como la que tenían delante, bella hasta la admiración y en toda la floridez de los veinte años.

María Luz comprendió, por la voz instintiva de su sexo, sabia siempre en todo lo que a él se refiere, lo que cada uno de esos hombres quería decirla con los ojos, y, nuevamente ruborosa, volteó las espaldas y salió.

—¡Desdichados! Es preciso aliviarles de algún modo su situación. Voy a tratar de que mi padre los case y de que cada uno forme su familia. En esta casa habrá sitio para todos

—Creo que el señor ha pensado ya en ello —murmuró José Manuel.

—¿Y tú no quisieras casarte? —le interrogó María Luz, mirándole fijamente.

—Jamás he pensado en ello, señorita. Esclavo y casado ¿para qué?

A todo esto habían llegado a una puerta de cuero, que daba a una pieza un poco oscura, a través de cuya ventana se veía, hacia el fondo, un camastro de piel de toro, un taburete, una mesa y encima una palangana de hojalata.

—¡Uy, qué pieza tan sombría! —exclamó María Luz, oteando por la ventana—. ¿Y quién vive aquí?

José Manuel tosió, dándose tiempo para meditar la respuesta, y al fin contestó:

—Nadie, señorita. Es un cuarto que para desocupado todo el año.

—¿Sí? —repuso María Luz, extrañada del hecho y sin percatarse de la respuesta del capataz—. Pues esta habitación está como para la Casilda, cuando me haga alguna trastada.

—¡Jesú!, ni que te se ponga, mi hija! —exclamó la negra santiguándose y retrocediendo, llena de aspavientos, como si fueran a encerrarla ya—. ¡En ese cuarto no pué entrá Casilda, niña!

—¿Acaso penan? —preguntó el ama, riéndose.

—Pior que eso, m'ijita. Ese cuarto nues pa la vieja como yo, sino pa la mocita melindrosa. Por eso tiene un nome tan feyo que no se puere pronunciá alante niña honesta.

—Señorita, le ruego a usted no obligarme a decirlo— habló el capataz—. No me atrevo a tanto. Y como ya lo ha visto usted todo, le suplico me permita retirarme.

—¡Caramba, qué raro va resultándome esto! Puede retirarse, José.

Ya en sus habitaciones María Luz, picada por la curiosidad, interrogó a la Casilda:

—¿Cuál es el nombre de esa habitación y el destino que se le da, que no lo ha querido decir José Manuel?

—Tápate las orejas primero, m'ijita.

—¡Pánfila! Si me tapo las orejas ¿cómo te voy a oír?

—Pues se llama... ¡Jesú, María y José con el nome tan feyo y mal intencionao! ¡Más marrajo!... Se llama ... Pues lo sueto de una ve: se llama *empreñarero*, pa que lo sepas, mi niña. Porque ai es donde José Manué y los otros capatase que han habiro le hasían eso a la muchacha.

—¡Zafa de aquí! —gritó María Luz, haciendo una mueca de repulsión—. ¡Qué porquerías se ven por acá, Dios mío, qué porquerías!

VI

LA SIESTA

La siesta era entonces, como sigue siéndolo hoy, para muchas familias piuranas, más que una necesidad fisiológica o una satisfacción espiritual, una ley, que cada cual cumplía según su calidad y medios. Hasta al esclavo se le permitía a veces guardar este precepto. Y era natural. Agotadas las fuerzas en el trabajo mañanero, aplanado el espíritu por el ardiente sol del mediodía, el descanso caía sobre los cuerpos como una bendición.

Sestear es olvidarse de todo, sumergirse en la tibia quietud de la hora estival, rodear la digestión de un ambiente de imperturbable placidez; dormir, soñar. Pero es también pensar, tejer alrededor de una idea obsesionante la urdimbre irisada de los buenos y malos pensamientos; luchar en el silencio de la hora propicia contra las sugestiones del pecado, contra las voces imperativas de la voluptuosidad, contra las protestas clamorosas de la continencia.

Y en la siesta de aquella tarde María Luz, desnuda—como un prodigio de la línea en blanco, oro y azul— no descansaba ni dormía: quimerizaba, tejía sobre el lecho, que besaba su gloriosa desnudez, una tela, dentro de la cual su pensamiento, por un extraño absurdo, se iba aprisionando a sí mismo, como el gusano en su capullo, y por más que trataba de romperla para recobrar su libertad, la red se espesaba y se espesaba, hasta sumirla en la conformidad y el dolor.

¡Ah las ideas que se le iban apareciendo en su calenturiento meditar! Eran como unas ondas sutiles, que le nacían primero en el vientre y después se le metían en

50

el corazón, sublevándole, para en seguida, de un salto, agarrársele a los exúberos pechos, haciéndola desfallecer, y pasar luego, en tropel irresistible, a la cabeza y allí encenderle en llamas la imaginación.

Y de estas tardes de ensoñación y voluptuosos deliquios María Luz salía vencida, humillada: humillada sobre todo, porque era su corazón, precisamente, el que la traicionaba y la ponía a merced de un deseo naciente e inconfesable. ¡Y lo que le decía aquel deseo, lo que la gritaba desde la mañana aquella, en que, guiada por el arrogante caporal, a través del laberinto de la fábrica, sus ojos sorprendieron la función excitante y misteriosa de la vida y sus oídos escucharon las voces angustiosas del sexo encadenado! En todas partes su paso había sido un despertar de deseos. Todos, horros y esclavos, viejas y jóvenes, iban quedando tras de ella impresionados por su encanto irresistible, rendidos ante su belleza, convertidos realmente en una masa de esclavos voluntarios, capaces de cometer por una sola caricia suya el más feroz de los crímenes.

Y era en vano resistir. Aquel deseo la hablaba de la igualdad de las almas ante el amor; de la caprichosa razón de los prejuicios raciales; de la mentira de la animalidad del esclavo; de la libertad de elegir y de amar; del derecho, en fin, de disponer cada uno de sí mismo y de trazarse su destino propio, tal como lo estaban haciendo entonces en otras tierras una porción de hombres, desarrapados y famélicos, por su libertad, sin importarles que la sangre que regaban por ella fuese roja o azul; de blanco, negro e indio, ya que toda ella era de esclavos.

Y lo que le gritaba aquel pensamiento era la liberación de su alma, que la sentía ya esclavizada también, como los seres infelices que la rodeaban; la libertad de amar y entregarse al ser que su corazón le ponía delante de los ojos en el silencio de aquellas siestas traidoras. Y esto, que primero se le presentó como algo impreciso y que su orgullo espantara con la mueca de una sonrisa irónica, había concluído por aparecérsele en toda su realidad, tal como era y como su imaginación de criolla ardiente se lo hacía ver aquella tarde.

Lo tenía ahí cerca, tan cerca que habría podido tocarlo con sólo extender la mano. A través de sus entornados ojos veía la imagen de pie, pidiéndole con los suyos, negros y elocuentes, algo que ella no se atrevía a traducir, pero que bien podía ser una mirada, una sonrisa, cualquier favor de esos que una mujer sabe dar sin prometer y que para quien lo implora es como la vida misma. Su boca, entreabierta, parecía musitar lo que sus ojos demandaban, y su pecho, medio desnudo, se agitaba sacudido por una violenta emoción.

Pero el impulso de extender la mano no le llegaba nunca. Su voluntad parecía rota y como anonadada por el espejismo de su ensueño, de este ensueño, que, por obra del poder transmutativo de la mente, le hacía ver a aquella imagen no sólo tangible, sino trajeada señorilmente y libre del peso ignominioso de su cadena y del estigma de su color. Y este proceso de transmutación se desarrollaba insensiblemente. Empezaba por el jubón de piel, el cual, a poco de desvanecerse, aparecía transformado en un ceñido frac de alto y aterciopelado cuello y triangulares solapas. Después surgía, a flor de la desnuda y maciza garganta de la imagen evocada, un negro corbatín, subido hasta la mitad de la V del albo cuello de la camisa, y, como un complemento de esto, la decoloración de la broncínea faz, la cual, después de perder aquel tinte característico del híbrido cruce, terminaba adquiriendo el blanco codiciado de la raza dominadora.

Era ella, pues, la que conducía aquella representación hasta allí, la que la alentaba con sus condescendencias y estímulos, riéndose al asomo de la primera tentativa; poniéndose seria después, cuando su corazón se sintió interesado, y sometiéndose, al fin, cuando ella acabó por adueñarse de su voluntad. La había hecho salir desde el fondo triste y bajo en que yacía y llegar hasta la alcoba en que ella, desnuda y desfalleciente, suspiraba aquella tarde.

Pero el hilo con que sujetaba a la osada imagen se rompió de repente y el ensueño quedó desvanecido. Un golpe de duda le asaltó a María Luz y un pensamiento súbito interrogó a su corazón. "¿Y si por aquel hombre hubiera otra mujer interesada? ¿Y si esa mujer fuera la pobre mulatilla que tenía a su servicio y a quien más de una vez había sorprendido pensativa y melancólica?"

Su orgullo de mujer y de ama se sublevó y una sonrisa amarga cuajósele en los labios. "¡Ah, pensó ella, sería una rivalidad digna de estos tiempos de plebeyos libertadores y marqueses republicanos!" Y como María Luz no era mujer capaz de soportar mucho tiempo una duda y menos cuando en su mano estaba desvanecerla inmediatamente, con el pretexto de ser ya la hora de levantarse, llamó:

—¿Rita?

—Mande, niña.

—Ya es hora de vestirme.

—Voy, mi ama, inmediatamente.

Y la doncella se presentó, media soñolienta, restregándose los ojos y sin saber por dónde comenzar su tarea de todas las tardes.

—Te habías quedado dormida tú también.

—Es que... me arrecosté un momento.

—Y te dormiste. Es natural. ¿Qué te vas a hacer tú allí solita todas las tardes sino bostezar y dormir?

—Dejuro, niña. Contimás que hay tardes que la modorra vence. Cuando no, me siento detrasito de la celosía a tejer y ver pasar a los caminantes. Es un entretenimiento.

—¿Que no estás aquí a tu gusto?

—¡No diga, niña! Es usted más güena que el pan de huevo. ¡Y con los amitos que Dios me ha dado! De la señorita no se diga. Donde ve una falda, aunque sea más sucia que un estropajo, se güelve, con perdón de usté, una perra parida. ¿Y el señor? Ese es otro, así tan formalote como usté lo ve. Es una mosca queresera, que no hay cómo espantársela. Por eso la blanca me ha mandao pacá.

—¿Y no quisieras volver donde ellos?

—Según y conforme, señorita. Si es pa seguir ai sirviéndoles a esos amos, no; prefiero quedarme con su mersé. Si'es pa lo que me han prometido, entonce ya es otra cosa.

—¿Qué es lo que te han prometido? ¿Se puede saber?

La criada se ruborizó hasta las uñas y, después de vacilar un momento, terminó por decir:

—Manumitirme y casarme, niña Luz. ¡Qué felicidad!

—¿Con quién? ¿Con alguien que has elegido tú o que te han buscado tus amos?

—Con uno que me gusta mucho, requete mucho, niña, y con quien estoy ya apalabrada.

—¿Será tal vez con José Manuel?

—¡Che! ¡No me fatalise, niña! Ni él piensa en mí ni yo en él.

Y la mulata, entusiasmada de repente y asaltada por una alegría que le iluminaba el rostro, embelleciéndoselo, añadió:

—Yo, aquí onde usté me ve, niña, tengo mi chapetón muy tapadito. Eso sí, no porque haiga nada malo, sino porque temo que me lo vaya a quitar alguna envidiosa, que no falta...

María Luz sonrió benévolamente de la ingenuidad de aquella criatura, que, a pesar de su humilde condición, no vacilaba en creer que alguien podría envidiarle su suerte y, a la vez que la alentaba con los ojos a proseguir en su confidencia, exclamó:

—¿Qué clase de persona es tu godo?

—¿Persona? Persona precisamente no es. Pero qué más, si es un chapeta que tiene su pulperiíta al pie e la casa, en la esquina. Y ya sabe usté, mi ama, lo que es un chapetón pulpero.

—¿Te ha ofrecido matrimonio?

—Redondamente, niña.

—¿Y te imaginas, Rita, que tus amos lo van a consentir así no más? Sobre todo, don Baltazar, al cual, según parece no le disgustas. ¿Quién les va a pagar a ellos tu libertad? Nadie. ¿Tendrá tu novio, pues, los quinientos pesos, que es lo menos que ellos pedirán por ti, al ver su interés?

La criada, ante estas atendibles razones, que de un golpe barrían con sus sueños, se entenebreció y no supo ya qué responder. Fué tan brusco su desencanto que la jarra de agua, que en ese momento vertía sobre los pies de María Luz, se le escapó de las manos, anegando el piso y haciendo estallar a su ama en una carcajada regocijante, lo que vino a aumentar la confusión de la pobre criatura, que no sabía qué hacerse, si secarle los pies a su señorita o ponerse a enjugar el suelo.

—¡Qué mala soy, Rita, mortificándote con semejantes cosas! Dispénsame. No ha sido más que un suponer mío. Ya lo creo que te casarás. Y pronto: para eso estoy yo aquí. Esta noche misma le diré a mi padre que me quedo contigo y que dé por ti lo que le pidan los Rejones. Y ya mía, te dotaré para que te cases con tu godo. Ya verás.

La mulatilla, emocionada por tan generoso ofrecimiento, cayó de rodillas y se puso a besar los húmedos y sonrosados pies de su ama, a la vez que la decía, con singular alborozo:

—¡Ah. qué buena y generosa había sido usted, niñita María Luz! ¡Cómo la voy a queré y a serví, así de rodillas, como se adora al Santísimo Sacramento!

—¡Avemaría, muchacha! ¡No digas tal herejía! Levántate; basta de rendimientos. Conque te cases y seas feliz me doy por bien pagada. Feliz, ¿me entiendes? Porque la cosa no está en que te liberte y te dé unos cuantos pesos, y una vez casada salgamos con que... mejor habría sido no casarse.

—¿Y por qué, mi ama, habría de salir yo con esas? ¿Acaso no podré ser yo una güena mujer como tantas otra que hay por ai? ¿Será por no ser yo libre desde el prencipio? ¿O porque el hombre puede salirme trapichero y arrumbar conmigo a las trompadas cada vez que le descubra alguna mañosería?

—No, no; por eso no, Rita. Si fuera por eso las mujeres nos quedaríamos sin casarnos, porque todos los hombres, cual más cual menos, mujerean y maltratan. Es que en tu vida hay un punto oscuro, que el que se case contigo ha de querer, naturalmente, que se lo aclares. Y yo creo que eso no va a ser posible...

—¿No podría, su mercé, hablarme un poquito más a mi alcance? La verdad que no la entiendo. Como una es un poco ruda.

María Luz, que quería ir en su curiosidad hasta la certidumbre, se resolvió a decir, no obstante estar casi convencida de que la Casilda le había dicho toda la verdad:

—Pues, para que me entiendas, dime: ¿qué explicación le vas a dar a tu marido de la noche que pasaste aquí con José Manuel? ¿Crees tú que él no ha de saber por qué te encuentras aquí?

—Ya lo creo que no, señorita María Luz, ni yo estaría tampoco pensando en matrimoniarme si el agua me hubiese llegado... con perdón, señorita, a la centura, es decir, digo yo, más arriba, deonde me llegó esa noche. Y así se lo mandé decir al chapetón al otro día. "Me hace usté el favor, le encargué a ña Martina, de decirle a ese chapeta sinvergüenza que si yo estoy aquí no es por mi voluntad; que la Rita no es de las que él ha estao acostumbrao a tratar; que conmigo no hay José Manuel que valga, y que lo que él cree que se me ha perdido —y usté dispense, niña— lo tengo bien guardao, mejor que si estuviera en las cajas reales y entre un escuadrón de lanceros. Que se deje de cavileos y que si ya no quiere, que lo diga". Y como el recao fué bien llevao, porque para eso se pinta ña Martina, como ella sola, allí mesmito recibí el desagravio y con él un collarsito e coral. Porque, eso sí, el hombre no es tan roñoso como los de su clase.

María Luz escuchó la explicación, hecha con la vivacidad propia de la raza, llena de hondo regocijo. La criatura que tenía delante la había dicho indudablemente la

verdad, pues ésta no sólo le había flúido de los labios sino de los ojos y de la misma castidad que trascendía de
su cuerpo. Pero María Luz quería ir más lejos. Algo la
impulsaba en ese momento a arriesgarse por el camino
vedado de la investigación escabrosa. Lo natural habría
sido, sabiendo ya lo que debía saber, dar por terminada
la conversación. Pero su curiosidad de mujer imaginati-
va y ardiente le pedía saber algo más. Después de un
largo silencio, interrumpido sólo por el trajín de la criada, que, entre alegre y acuciosa, restablecía el orden en la
habitación, María Luz volvió a reanudar el interrogatorio.

—¿Con que no te pasó nada? Algún santo de tu devoción te hizo el milagro. Porque aquello de pasar una noche en compañía de un hombre de la fama de José Manuel es casi como echarle una oveja a un tigrillo.

—Pues la oveja no fué tan mansa, mi amita. Primero
se defendió de la fiera y después se burló de ella. Buena
es l'hija de mi madre pa resinarse así no más a que le
metan el diente. ¡Ni que juera bollo! Y aunque yo sabía
a lo que me habían traido y ña Casilda me había repa-
sao media cartía pa que no tuviera miedo al llegar a la
jota, es decir, digo yo, pa cuando me viera solita con el
hombre, no consentí que hiciera conmigo lo que había
hecho con las otra. Como que una no es animal. Esclava
sí, porque así lo ha querido Dios, pero con vergüenza y
voluntá. ¿No es así, señorita?

—Sí, sí —contestó María Luz, emocionada.

—Y mi querer me dijo que no me sometiera a ese
hombre, no porque ese hombre no juera digno de que
una mujer como yo lo mirara bien, sino porque yo no lo
había escogido pa mi compañero. Si lo hubiese escogido
sí. Entonces le habría dao todo, hasta la vida mesma.
Pero a un hombre que no se ha visto enjamás ni en
pintura... ¿Y aluego pa qué? Pa que, dispensándome
otra vez niña, pa que le hagan ai mesmito el trambuche,
y una vez hecho le digan: "Bueno, ya está. Lárgate donde tus amos, que buena encomienda les llevas!" ¡Che!

¡Buena era yo pareso! No, si yo estaba resuelta esa noche a dejarme matar primero, a que me bailaran la conga.

—De lo que no hubo necesidad. Te respetó, por supuesto.

—Ya lo creo. ¿Mas quién me dice a mí si jué por que duró poco la compaña? Ni una hora siquiera.

—¡Ah! No estuviste con él toda la noche.

—Pues que no, niña. Vea, voy a contarle todo lo que me pasó esa noche: ¿Me da usté su permiso?

—¡No faltaba más! Dí lo que te parezca.

—Bueno. Pues yo estaba esa noche, antes del careo, muy nerviosa. Un sudor se me iba y otro se me venía. Un sudor, Jesús de mi vida, más frío que un muerto. Y me había agarrao una tembladera en las piernas y un calambre en la barriga, que no me faltaba sino ponerme a gritar y pedir misericordia. Pero mire usté, niña, lo que son las cosas, tan luego como ña Casilda me rempujó y nos encerró yo me sentí otra mujer. "¡Déjeme", le grité al hombre que me empuñaba de las manos en ese momento. Y el hombre me soltó sin más ni más. Bueno. Entonces yo me senté en un taurete y él, parao y cruzao de brazos, se me puso a mirar como un mecanche. Porque los ojos de José Manuel son mismamente que los del macanche cuando los clava en los pajaritos pa tragárselos. ¡Qué miedo! Entonces me encomendé a la Virgen de los Dolores para que me sacase con bien del trance, y ai no más se me creció el corazón, y comenzaron a tener mis ojos tal juerza pa responderle a los suyos, que los suyos se suavizaron y la cara se le volvió otra. "Eres tú —me dijo, con una voz un poco blanda— la primera mujer que rechaza a José Manuel, y por eso me has gustao y te respeto. Todas, todas las que han entrao aquí, que no son pocas, me han aceptao luego luego. Más bien yo he despreciao algunas. Y me he acostao en esa tarima solo, dejándolas ai plantadas toda la noche. Matalaché, como me llaman las gentes de la ciudad, tiene también corazón y sentidos, y lo que no le gusta lo deja. Y también orgullo; por eso no te obligo. Si yo

58

juera un bruto, como esos que duermen allá en el can-
chón, te forzaría, que para eso te han mandado tus amos,
y de nada te valdrían los 'gritos ni las lágrimas. José
Manuel no sabe hacer esas cosas, y menos hacer llorar a
las mujeres; sobre todo, cuando son infelices como tú,
que no tienen la culpa de hallarse aquí. Quedate ai
tranquila si gustas, o lárgate si quieres.

—¿Así te dijo?

—Ni más ni menos, niña. Y al ver que no me hacía
caso me levanté pa salir. Pero adónde? ¿En qué parte
iba a pasá la noche, cuando yo ni sabía onde estaba?
¿Cómo ponerme a buscar en ese momento a ña Casilda?
La verdad que tenía miedo de salir sola, y que el otro
miedo, el que había llevao al entrar, se me había pasao,
y más bien comenzaba a sentirme confiada al lado de
José Manuel. Me puse a mirarle de arriba abajo y, francamente, niña Luz, no le encontré como al prencipio. Me
pareció güeno y simpático. Y estuvo por crer que es mentira todo lo que dicen dél.

—Te gustó, vamos.

—Casi, casi. Por eso se me salió desile, mi amita, si
jué por él o por lo que me ocurrió esa noche que no me
sucedió nada.

—A ver, a ver, ¿qué te ocurrió?

—Pues que cuando yo me levantaba a asomarme a la
ventana pa mirar al patio y ver si había aclarao y podía
salí, una cabezota negra, horrible, que estaba aguaitán-
donos, soltó una carcajada de lechuza y aluego se echó a
cantar:

"*Cógela, cógela, José Manué;*
mátala, mátala, mátala, che..."

Y no recuerdo lo demás. Pero era algo que me toca-
ba a mí, porque le decía a José Manuel, ajochándolo,
que no me comiera él solo sino que le *dejara una alita pa*
él. ¡Qué lisura de negro feísimo! Voltié indignada a
preguntarle a José Manuel por qué cantaba así esa bestia y si él acostumbraba a regalar sus sobras, pero no me

dejó terminar. De un salto se levantó y de otro se echó a juera, tras del bruto que nos había estao aguitando. Oí golpes, gemidos, y pasos que se alejaban, y dempués un silencio que me espeluncó las carnes. Entonces corrí a la puerta y l'atranqué bien. Apagué el candil y me eché así vestida, resuelta a no abrile ni al mesmito José Manuel, y a pasar la noche como Dios me ayudase.

—Por supuesto que él volvió.

—¡Quién sabe, niña! Yo sentí, mucho dempués de haberme acostao, pisadas alante e la puerta y dos o tres rempujones. Pero, ni sonsa que juera, no contesté. Calladita, acurrucada, pensando en lo güeno de mi suerte, me quedé así, unos ratitos durmiendo y otros despertando, hasta que al fin amaneció y vide entrar el sol por la ventana. Entonces hise llamar a la Casilda y... ¡pim pam!, san Sebastián, colorín, colorao que el cuento se meá cabao. ¡Ay, niña, no quisiera darle esa noche a nadies!

—Tienes razón. Una noche así debe de ser muy amarga. Pero no puedes quejarte de tu suerte. La oveja no fué ni siquiera asustada por el tigrillo.

—Ni un rasguño, niña. ¡Buen tigre!, ¡buen tigre!

—¿Quisieras repetir otra vez el milagro para convencerte de él?

—¡Virgen Santísima! ¡Pa qué!... Eso sería dudar de mi Señorita de los Dolores y entonses... ¡hum!

Y ambas jóvenes, alegres y llenas de malicia, estallaron en una carcajada burlona. Ama y esclava quedaron unidas por un mismo pensamiento.

VII

EL MILAGRO DE MARIA LUZ

En medio de la oprobiosa y eterna servidumbre en que vivía una veintena de serés humanos, sin más voluntad que la de su señor y sin otro fin que el de aumentarle su caudal por medio del trabajo, la presencia de María Luz fué recibida como la aurora después de una noche de desvelo y angustia. Y aun cuando aquella agrupación se sintiera aliviada en la labor y mejorada en el trato, pues don Juan Francisco trataba a sus esclavos humanamente, algo instintivo en ellos les hacía entender que les faltaba unos ojos que comprendieran la tristeza de los suyos, unas manos que supieran curar sus llagas espirituales, una voz que les hiciera olvidar las rudas y destempladas de sus capataces, en una palabra, un corazón que supiera de piedad y de consuelo. Y esto sólo podían esperarlo del corazón de una mujer.

María Luz fué, en realidad, un sol en medio de esa noche de oprobiosa y eterna servidumbre. Desde el primer momento en que la vieron esos hombres, que fué aquella mañana que recorrió la fábrica, guiada por José Manuel, una alegría repentina brilló en todos los rostros y un nuevo espíritu de trabajo se despertó en todas las almas. Hasta el congo, avieso y horrible, cuyo destino no era otro que el de girar en torno de un molino y detrás de una bestia, se sintió comunicativo y locuaz por primera vez en su vida.

Las mujeres, esclavas y libres, sentíanse también felices y como amparadas por una sombra protectora. La Casilda, sobre todo, era la que más inundado de dicha sentía el corazón. Al fin sus ruegos y oraciones habían

alcanzado que la larga ausencia de sus amos tuviera término; que volviera su niña y, con ella, la dulce rememo-
ración de sus días de crianza, de sus travesuras infantiles y de sus engreímientos. Y todo esto lo daba ella
por compensado con la vuelta de su ama, de cuya compañía esperaba disfrutar hasta su muerte.

La misma obra de mano parecía beneficiada con esta presencia. Los cordobanes salían de la operación del
zurramiento más fuertes y compactos; las suelas, mejor
curtidas y menos pestilentes, tal vez si con la mira de
que así ofendiesen menos el olfato del ama; los jabones,
más duros y cristalinos y mejor cortados y envueltos en
sus camisolines de chante.

Hasta en el corral el matarife no hacía ya ostentación
de brutalidad en el degüello de las reses, ni permitía
que sus ayudantes exhibieran, como otras veces, entre ri-
sotadas y vocablos canallescos, ciertos sangrientos despo-
jos, que hacían volver la cara a las mujeres y a los hombres, celebrar la grotesca ocurrencia con rebuznos y mu-
gidos. En cuanto a los instrumentos de castigo, usados
hasta entonces con sádica frecuencia, dejaron de repente de aplicarse. Ya no volvió a verse a los esclavos en el
cepo por la más leve falta, ni aherrojados con platinas o
esposas por una respuesta más o menos dura, o alguna
rebeldía.

Un sentimiento de humanización comenzó a exten-
derse por todos los ámbitos de aquel semipresidio, hecho
como para torturar las almas y los cuerpos. El mismo
don Juan parecía enterado de esta transformación, y como era hombre que, además del sentido de los negocios,
tenía el de la vida, no tardó mucho en comprender de
dónde venía este soplo vivificante y renovador. Sus diez
años de viudedad y de medidas de continencia no habían
sido suficientes para convertirle en un misógeno emper-
dernido y menos para despertarle prevenciones contra las influencias de la mujer. Si era a su hija a quien
se debía la renovación, pues que se debiera en buena hora. El no iba a cometer la necedad de contrariarla, so-

bre todo, cuando muy buen provecho había comenzado a rendirle.

La vuelta de esta hija venía sin duda a abreviarle su esperanza de enriquecimiento, que era su única ambición y la causa del aislamiento en que vivía. Y si bien más tarde había de pensar en la suerte de esta hija, lo primero era asegurarle la dote, hacerle el caldo gordo al pícaro que había de venir cualquier día a pedírsela y llevársela. Y todo esto le resultaba curioso por ser ella misma quien estuviera cooperando, sin imaginárselo seguramente, en esta obra de fatal separación.

Y al pensar en esto, don Juan se enternecía y lentamente, como quien saca de un arcón algo que no quisiera ver por temor de revivir un mal recuerdo, iba sacando del fondo de su memoria una gran parte de su borrascoso pasado: los primeros años de su matrimonio, llenos de amor y envidiable bienestar; el ruido de las fiestas y saraos, en los que su mujer se exhibía resplandeciente como un sol y las otras, doncellas y matronas, giraban en torno de ella como astros de mezquina magnitud; el duelo brutal, provocado por la audacia de un aventurero, que intentó arrebatarle su felicidad y a quien tuvo que matar para contener su osadía. Por último, su fuga novelesca y su confinamiento voluntario en uno de sus fundos, perseguido por la duda, atormentado por el remordimiento y lleno el corazón de soledad y misantropía. Y tras de esto, la muerte de su esposa, llena de inocencia y perdón; la hija tierna, abandonada a los cuidados de una servidumbre indiferente y a la vigilancia de una parentela interesada sólo en sacar el mayor provecho de la catástrofe.

Todo esto pasaba por la imaginación del señor de La Tina como perdido entre las sombras de un pasado lejano. Y fué María Luz la que le salvó entonces de la tentación del suicidio y le arrancó de su idiotizante vida montuna, devolviéndole al seno de aquella otra en que viviera triunfador y feliz. Pero en el retorno no pudo hallar lo que perdiera en un instante de orgullo y precipitación: la tranquilidad de la conciencia. El perdón de su mujer no logró aquietarle el espíritu. Y es que él, al fin de la odiosa aventura, había acabado por oír la voz de su pecado y reconocerse culpable, y por sentir, como una expiación, la necesidad de acendrar su sufrimiento.

Pero su misantropía no fué tanta que le hiciera olvidar sus deberes paternales. El fruto de aquella corta unión estaba ahí como una protesta, pronta a hacerse escuchar e impedir que su destino fuera sacrificado a los caprichos del egoísmo. Don Juan volvió su pensamiento a su hija, y, al volverlo, sintió un remordimiento más. Su odio no tenía por qué hacerlo extensivo a esa inocente criatura, ni menos por qué hacerle odiosa la vida pudiendo él, con sólo quererlo, hacérsela breve y feliz: ¿Cuál podía ser la culpa de esta hija? ¿De qué tenía ella que responder, si su madre misma no había tenido que responder de nada? Y la mejor respuesta fué la que él quiso darse: arreglar sus asuntos, un tanto embrollados por su larga ausencia, y partir llevándose a esta criatura a otro mundo, a otras tierras lejanas, hasta que el tiempo llegara a cubrir piadosamente el pasado y le permitiera volver a su terruño.

Y un buen día, dócil ya al sentimiento paternal, realizó todos sus bienes y partió. Comenzó por confortarse en el viaje. La travesía, lenta y monótona, en vez de aburrirle, sumíale en profundos estados de ensoñación, de los que volvía con el pensamiento más ágil y el corazón más abierto a la generosidad y la concordia. Un vivo deseo de correr mares y tierras se le despertó de repente; pero su tierna compañera de viaje, cuyas travesuras y risas infantiles eran la alegría del navío, amortiguó su deseo. Esta hija, por razón de su edad, le resultaba un estorbo para sus planes. Viajar con ella por todas partes significaba tener que llevarla prendida al cinto como un tesoro, y esto, a la larga, tendría que acabar por restringirle su libertad de acción y originarle alguna triste aventura. Y decidió, antes de llegar al Callao, deshacerse de ella, dejándola al lado de algunos de sus parientes, de los que le recibieran mejor y le mostraran más voluntad de servirle.

María de la Luz —que este era su nombre verdadero
— fué por esta razón a alojarse en casa de unos primos
de su padre, los condes de Casa Florida, de apurada situación económica entonces, y para quienes la llegada
intempestiva de este pariente viudo y rumboso, podía
ser el principio de mejores días. Allí, mientras don Juan,
con su melancolía entregada al derivativo de los viajes
y a la fiebre de los placeres, iba dejando por donde pasaba jirones de vida y chorros de buenas onzas columna-
rias, su hija, entre olvidos y descuidos, creció como esas
plantas que medran por ley de su propia vitalidad y no
por obra de un cultivo paciente. Dejósela en una relativa
libertad, casi abandonada a sus propios instintos. La con-
signa era no contrariarla, y si bien su instrucción no fué
descuidada enteramente, ésta limitóse a cosas de catecis-
mo y libros religiosos, quedando lo relativo a ética y
moral lastimosamente olvidado.

Mientras tanto los tíos, a ratos complacientes y a ratos regañones, creían cumplir su delicada misión satis-
faciendo todas las exigencias de la sobrina y pasándole
al padre religiosamente unas cuentas que jamás repara-
ba; llevándola de tarde en tarde a la comedia y a oír algún sermón; obligándola a asistir al rosario nocturno;
haciéndola aprender, más teórica que prácticamente, las
reglas del bordado y de la repostería, y exhibiéndola,
entrada ya en la pubertad, no sin humos de protección,
como una curiosidad provinciana, digna de figurar en
los etiqueteros días de recibimiento.

María de la Luz no tuvo en aquella época ningún
afecto efusivo o sincero, fuera del de su criada, la cual,
por instinto, había logrado llegar hasta su corazón. Más
bien lo que despertó, a medida que iba creciendo, fué
una envidia sorda en sus dos primas, unas señoritas
ocho o diez años mayores que ella, medias entecas y clo-
róticas y algo enhiestas y frías, como aves de museo. La
belleza y lozanía de esta flor de trópico las ofendía y
exaltaba hasta el extremo de hacerlas sentir deseos ho-
micidas. De buena gana la habrían ahogado o despedido;

pero el odio pesaba en ellas menos que los beneficios que recibían por su causa.

Contentáronse las primas con tratarla fríamente, con excluirla de sus paseos y tertulias y destruir todas las tentativas de noviazgo hechas en torno de ella y toda sospecha de amoríos. Una vida así, de contrariedad y asechanza, de asedio constante, exaltóle su temperamento nervioso, agriándole el carácter, ahogando tempranamente sus expansiones e inclinándola al disimulo, a la vez que le templaba la voluntad. Aprendió así a bastarse a sí misma, a tener iniciativas y seguirlas según su inspiración y a desconfiar de la sinceridad y desinterés de las gentes.

Y quién sabe adónde habría llegado María de la Luz, bajo la disciplina de este tutelaje frío y espantosamente seco, si a su padre no se le hubiese ocurrido en una hora de hastío y añoranza, tornar al suelo patrio, y a sus tutores, devolverla, bajo el pretexto de un temor tal vez no sentido.

Pero el más impresionado y transformado por la influencia de esta mujer fué José Manuel. Su inteligencia creció de golpe, como a la mágica voz de un ensalmo. La oscuridad del pobre mundo en que viviera sumido desde que nació, comenzó a desvanecerse y a dejarle entrever horizontes de luz y de vida ignorados por él hasta entonces. Tuvo la intuición repentina del sentido de la dignidad, el cual fué ensanchándosele hasta hacerle comprender toda la vileza y degradación en que vivía. Se vió realmente como era: un hombre como todos los demás, como todos esos que iban y venían libremente sobre la tierra, dueños de su voluntad y su destino. Y principió a meditar sobre los agravios de la suerte y los crueles designios de la justicia humana y divina. En su cerebro de mestizo, de semiprimitivo, el pensamiento libró rudos combates contra el pequeño mundo de sus ideas embrionarias, remachadas en él por la mano de los siglos y sostenidas por el prejuicio y la sordidez del blanco. Y de esa lucha, apenas si llegó a sacar triunfante el sentimiento de su yo, vacilante, débil, quebradizo, pero sentimiento al fin.

Y su corazón empezó a sentir la necesidad del acoplamiento espiritual, que sólo por intuición había descubierto ser más fuerte y digno que aquellos otros de que había gozado hasta entonces por causa del sórdido interés de los amos. Amar como los blancos, eligiendo y excluyendo a voluntad, era también una ley de los negros. Su corazón se la había descubierto primero vagamente, en esa noche que encerrado con una mujer supo ésta, llena de pudor y rebeldía, contenerle y dominarle con sólo una mirada y una frase. La frase la escuchó como un mandato y la mirada le mató de un golpe su pujante rijosidad, sumiéndole en la suave caricia de la contemplación y haciéndole respetar por primera vez el cuerpo de una esclava entregada a su albedrío. Y tuvo que respetarla porque algo, que él no podía explicarse, le decía que ese cuerpo, así indefenso y débil, tenía una fuerza que él no podía quebrantar, y esa era la del querer o no querer, es decir, la de la voluntad.

Con la llegada de María Luz, esa ley le fué revelada ya más claramente. La distancia infinita que a ambos separaba, por lo mismo que él la tenía por insalvable, engendró en su mente el sentimiento de la idealidad, del amor imposible, de la delectación del amor secreto, de otra esclavitud más fuerte todavía que la del hombre por el hombre; pero no odiosa ni humillante ni envilecedora como ésta, sino por el contrario, ennoblecedora y dulcísima. Comprendió que entre el amor y la mujer había algo más que el contacto material de los cuerpos, choque fugaz, que, al desaparecer, sólo dejaba resabios de tristeza.

El recuerdo de estas uniones pasajeras y bestiales le avergonzó. Cierto que esas uniones no eran obra de su voluntad, de su elección, de la poseída siquiera, sino del acatamiento de órdenes dictadas por un bajo interés y de las que él no venía a ser más que un simple instrumento de reproducción, tal como el hechor de una yeguada. Y hasta en medio de esas uniones seguía siendo esclavo. El ingreso a la habitación nefanda se le permi-

ros habanos que fumaban los señores, sin el negror del azabache ni la exudación oleosa de la piel netamente africana. Y, más que todo esto, la diferencia moral e intelectual, que, mientras al uno le iba permitiendo salir paulatinamente, por obra del propio esfuerzo, del bajo fondo en que yacía, a los otros sumíalos en él cada día más.

Y en medio de esta diferenciación, una acentuada conciencia de la dignidad personal, que unas veces despertaba en su alma ráfagas de indisimulable soberbia, y otras, le hacía resignarse ante la fatalidad de su destino; pero lleno de rebeldía y esperanza de manumisión. Todo lo que veía en torno suyo parecía estar allí para recordarle su origen y su suerte, sin que él pudiera sustraerse a su imperio, por más llevadera que se le hacía la vida en su condición de capataz, por más distinciones que le hacía su señor, bondadoso y humano hasta hacerle abortar muchas veces sus planes de alzamiento y fuga. Los instrumentos de castigo, la agrupación de los esclavos, hermanos suyos —no tanto por el origen cuanto por la desdicha— consumidos por los vicios contra natura y la explotación intensa; el desprecio y la insolencia del obrero libre y de los libertos, más sensibles por venir de quienes venía; la privación del derecho de elegir una compañera de amor y poder formar con ella una sociedad como la de los blancos, con hogar e hijos y, más que todo, el sentimiento de no poder gozar de la fruición del mío y del tuyo, que su mente concebía claramente, eran para José Manuel un oprobio y un suplicio.

Y este oprobio sentíale más hondamente en el alma cuando se detenía a meditar sobre su origen. Sí, él era todavía un negro por la piel, pero un blanco por todo lo demás. Y este era su suplicio. Sus aspiraciones, sus ideas, sus gustos, se lo gritaban desde el fondo de su corazón. "Y si no —solía interrogarse él mismo— ¿por qué este afán mío de parecerme a esos señores que veo en las calesas por las calles? ¿Por qué me gustan más las mujeres blancas, que quizá nunca podré conseguir, que las mulatas que me ríen y me provocan y me tientan cuando vienen acá a mercar? ¿Por qué no me gusta comer ni dormir en unión de los otros negros y siento algo que me aparta de ellos, contra mi voluntad? ¿Y por qué, en fin, mi madre no quiso decirme nunca quién fué el hombre que me engendró, y se entristecía por no poder decírmelo? ¿Fué obra de una prohibición o de la vergüenza?"

Y de todas estas preguntas la única respuesta que él acababa por darse era la de que su padre no había sido un negro, sino algún señorón de esos que vivían en el valle de Tangarará, o tal vez si el mismo señor de esas tierras, que, a pesar de su fama de hombre grave, no había sabido contenerse ante la barrera del orgullo. ¿Correría quizá por sus venas la sangre de algún Sojo? ¿Quién podría decírselo? La única que lo sabía, su madre, se había llevado su secreto a la tumba, y al llevárselo lo hizo con toda la soberbia de su raza. El recordaba como un eco perdido, como algo que se esfumaba en la lejanía borrosa de su niñez, que a su madre, cierto día que disputaba con otra esclava por haberle tratado a él despectivamente, se le desató la lengua, y al desatársele, dijo algunas cosas relacionadas con su nacimiento aunque un poco incomprensibles, pero de las cuales sólo pudo sacar en limpio José Manuel, que su padre no había sido ningún negro sino una persona que estaba muy alto, tan alto que sus labios no debían mentarle jamás. Y como la otra esclava se riera desdeñosamente de esta reserva, siendo así que el hecho debió haberlo pregonado como un triunfo, tal como lo hacían todas las demás esclavas cuando llegaba el caso, su madre se limitó a encogerse de hombros y decir en forma concluyente: "Lo que soy yo si sé cumplir lo que prometo. Y, sobre todo, al único que le interesa saber el nombre de su padre es a mi José Manuel, y esto sólo se lo diré cuando sea mozo". Pero la negra murió cuando este hijo, su único hijo, no había cumplido aún los diez años, y el origen de su filiación quedó en la hacienda como uno de esos tantos que la malicia se encarga de recoger y transmitir de generación en generación según el gusto y la fantasía del que lo transmite. Y aunque nadie se atrevía a murmurar del señor que había tenido el capricho de descender de tanta altura, si no en la conciencia, en el pensamiento de muchos estaba que el padre de José Manuel no era otro que el amo de todos ellos; pues si su seriedad por una parte lo escudaba contra las hablillas de la gente, su prolongada soltería y el obstinado silencio de la negra le hacían merecedor de la imputación. Luego, que ahí estaba el nombre. ¿Por qué le había puesto su madre José Manuel sino por el padre? Verdad que esto era una cosa corriente entre esclavos, tratándose del apellido. Pero ponerle el nombre del amo era casi una audacia.

Y si todo esto no era bastante para la confirmación de su ascendencia paterna, ahí estaban las distinciones y preferencias y miramientos que el señor Sojo tuvo para con él después de la muerte de la madre. Don José Manuel comenzó por separarle del contacto de los otros esclavos, ponerle un maestro que le enseñó a leer, escribir y contar, y cuando le creyó suficientemente preparado y capaz de manejar los asuntos de su escritorio, se los encomendó, no sin ciertas complacencias, poniéndole así casi al nivel de sus empleados libres.

Después se hizo acompañar por él en sus viajes a Piura, Paita, La Punta, y demás poblaciones del partido, y aun hasta Lima, no sólo por la necesidad de que alguien le atendiera en ellos sino por la confianza que le inspiraba el mozo, varonil, arrogante y, sobre todo valeroso, de lo cual diera ya muestra en más de una ocasión, desarmando con sólo sus puños a los foragidos, que, puñal en mano, se le echaran encima en las tambarrias del valle.

Y había que verle entonces con el sombrero de paja toquilla, de encarnado cintillo, echado hacia atrás, guitarra en mano y con los ojos entornados al son de una quejumbrosa cumanana. Las mujeres se quedaban mirándole, boquiabiertas, fascinadas, estremecidas, compenetradas por los efluvios de seducción de este mulato, que sabía arrancarle a la vibrante caja cosas tan hondas y sentidas, que las hacía suspirar y humedecérseles los ojos.

Fué la única época realmente feliz de José Manuel. La infelicidad de su condición no podía apreciarla porque en el fondo tenía todas las apariencias de un estado de minoridad, gracias al cual todo se le daba a cambio de un poco de trabajo, agradable y ligero. Vivió entonces casi en un estado de ilusión, que no le dejó tiempo para pensar en las consecuencias que le habrían sobrevenido si en un momento cualquiera una veleidad de su señor o de la suerte le hubieran sacado de ahí para hundirle en esa otra vida, en la que las manos no sabían del libro ni de la pluma, sino del azadón, del hacha, del machete, del lazo; las espaldas, del rebenque y las piernas, de los grillos y el cepo. De este modo había acabado por sentir en su alma los resplandores de la libertad y creerse un hombre como los demás, dueños de su albedrío y responsable de él. Y al compararse con las gentes que le rodeaban su corazón se llenaba de orgullo. El hacía lo que ninguno de los que estaban ahí era capaz de hacer: domar un potro, lacear una res a carrera abierta y cogerla por los cuernos y tumbarla; quitarle a un hombre el machete con sólo el poncho enrollado a un brazo, y hacerla decir a la guitarra todo lo que quería delante de una moza e improvisar una décima o una cumanana, que hacía conmoverse hasta los negros más bozales.

No, ninguno de los que se esforzaban por hacerle sentir su desprecio y la verdad de su condición podía medirse con él. Y si no, ahí estaban las mujeres, que podían decirlo. Las mujeres eran las divulgadoras de su fama donjuanesca, las que, a la vez que hacían alarde de temerle, salían a aguaitarle cuando pasaba; las que le mandaban pedir, con mucho misterio, una serenata; las que se ponían trémulas cuando las sacaba a bailar, pero que al fin terminaban sonriéndole, bebiendo con él una copa y rogándole que les cantara algunas de esas cosas tan bonitas que sólo él sabía cantar.

El patrón le dejaba hacer, a pesar de su gravedad, cada día más sombría y creciente. Cuando alguna queja

contra su engreído llegaba hasta él, movía la cabeza, enigmático y se limitaba a murmurar algo que el quejoso se
quedaba sin entender. Otras veces, cuando la persona que
se las daba merecía alguna atención, decíale gravemente:
"Todos de mozos somos así. ¿Usted no lo ha sido en su juventud?" Y como alguien se atrevió a responderle una vez
seriamente, ofendido por su indiferencia: "Por ahí se dice, señor, que es usted quien le está dando alas a ese negro", don José Manuel se irguió violentamente y con voz
estentórea y airada le replicó: "No soy yo quien le alien-
ta ni ese muchacho es un negro... es decir, sí lo es, pero
no un negro como los demás. Y sepa usted, señor mío, para que no lo vuelva a repetir, que ese negro es tan blanco como yo y tan digno de respeto como usted".

Así llegó José Manuel a los veinte años: libre, bravío,
pujante y dominador. Pero esta aparente libertad en que
su alma se desenvolvía, y esta facilidad en el gozar y en
el vivir, si bien despertaron en él la exuberante sensibilidad de su raza, no lograron contaminarla de perversión
y brutalidad. Por lo mismo que tenía conciencia de su
poder no abusaba de él. Odiaba la violencia en las lides
amorosas. Su fuerza estaba en la fascinación de sus ojos
negros y ofídicos; en su paciencia atávica, cultivada por
sus antecesores en el sufrimiento del galpón o del ergástulo; en el tono de su voz, que parecía penetrada de
lágrimas cuando cantaba o requería, y en la reciedumbre de su cuerpo, gentil y musculoso, de dios bárbaro. Su
nariz firme y rectangular, como el timón de un barco, y
su barbilla, suavemente redondeada por el empuje de su
sangre mestiza, eran como el sello de su distinción y el
testimonio más justificador de las deferencias sospechosas que el amo le guardaba.

Pero esta distinción era también un signo de fatalidad que pesaba sobre él, a pesar de sus cualidades so-
bresalientes, y tal vez con motivo de ellas, las que unidas en cualquier otro hombre que no hubiese sido un esclavo, habrían bastado para hacerle triunfar en la vida.
Por eso, tanto sus compañeros de Tangarará como los de
La Tina jamás pudieron perdonarle su aire de superiori-

dad insufrible, y menos el origen misterioso de su ascendencia, que le arrancara de repente del seno de ellos y
le llevara a ejercitarse en ocupaciones dignas de los
blancos. José Manuel no conoció, pues, jamás el amor de
sus compañeros de desgracia. La simpatía que por alguna circunstancia o hecho admirable lograba conquistar
se devanecía a poco de tratarle, no por rectificación del
concepto que inspiraba, sino por el hermetismo de su corazón, cerrado a la confidencia y la intimidad. Por lo
mismo que él no tenía consuelo que pedir ni penas que
comunicar creía que nada tenía que recibir de los demás,
ni nada que devolver. Se sublevaba ante las lamentacio-
nes, por considerarlas un rebajamiento indigno del hombre, y si bien el dolor o el sufrimiento no entraba como
un ideal en la ética de su vida, por lo mismo que su ru-
dimentaria educación no le permitía formarse de ella un
concepto claro, algo instintivo decíale que debían ser
soportados en silencio cuando la voluntad era impotente,
o saber sacar de ellos fuerza de flaqueza para dominar-
los.

Por eso sus palabras, cuando algunos de sus compañeros le hacían el confidente de sus agravios o maltra-
tos, eran rudas, cáusticas, desconcertantes y la mayoría
de las veces, incomprensibles para mentes tan primitivas.

—Si el capataz es tan facineroso que por cualquier
cosa te raja las espaldas, ¿por qué no lo matas y te vas?
Lamentarse es cosa de mujeres. ¿Qué quieres que haga
yo? ¿Qué vaya allá abajo y le haga entender a patadas
cómo debe tratar a los hombres?

—Es que vos, José Manué, sos aquí l'único, después
del amo, a quien ese bandido respeta. Con dos palabras
que vos le digas no golverá a tocarme.

— No lo creas. Ese negro tiene el alma más negra
que su cara y temo desgraciarme con él si me dice alguna palabra fea. Es, además, el escucha y el chismoso de la
hacienda, y si yo me entrometo en sus cuestiones con ustedes va a levantarme un cuento con el señor, que me
va a obligar a colgarlo de un algarrobo. Y entonces voy
a venir a parar en lo que yo no quiero.

—¡Ay, José Manué, cómo vos estás un poquito más arriba que nosotros no sabes lo que es la cáscara e novillo de ese maldito!

—No es preciso estar arriba sino tener el ánimo hecho a no dejarse maltratar ni cuando se está abajo. A mí, el primer hombre que me azote no vuelve a azotar a nadie más en su vida.

—Ta bien, pero ese ergullo debe servite también pa ayudarnos. Si vos no nos ayudas ¿quién nos ayudará, hermanito?

—El odio y el deseo de ser libre. ¿Tú crees que porque me ves guitarra en mano los domingos, retozando con las mozas en las rancherías, no pienso en la manumisión de todos nosotros? ¿Tú crees que yo estoy contento porque el señor me tira de la oreja y se hace de la vista gorda cuando vienen a contarle mis tunantadas?

—¿Y por qué no te conchabas con nosotros, hermano, pa ayudarte?

—Porque ustedes no sirven para eso. Lo que pienso hacer tendré que hacerlo con los otros, con los mismos que hoy nos oprimen y maltratan, mal que nos pese. Y es porque ellos son también esclavos como nosotros, pero tienen la cabeza más preparada para hacer mejor las cosas. Cuando ellos se levanten yo les acompañaré y entonces José Manuel sabrá ver por ustedes.

—¿Y eso etá en víspera, José Manué?

—¿Quién puede saberlo? Por lo que de cuando en cuando leo en las gacetas y le oigo al patrón parece que por otras partes andan las cosas muy revueltas, y que en ellas están metidos los de nuestra raza también. Por eso creo yo que el patrón está arreglando todos sus asuntos para estar listo cuando le toque meterse en la danza. Porque él, seguramente, se meterá, y yo tendría mucha pena de encontrarme con el del otro lado.

—¡Demonche— ¿Sería capás? ¡Con tantas tierras y tantas onsas! Yo dél ai mismito ajuntaba todo y miba al otro reino al lado de su sacra reá majestá.

—Ya lo creo; tú sí, porque eres un negro sinvergüenza. Pero él, que sabe lo que le debe a su estirpe y a su rey, no. Así son los blancos caballeros, y así debemos ser nosotros. Todo por nuestra sangre roja y por la libertad. Cada uno por lo suyo. Y no me sigas hablando más de cosas que no entiendes. Aguántate y espera.

Y así, más o menos, les hablaba a todos los esclavos que venían a quejársele de las brutalidades del mayordomo. De esta rara manera de consolar, las simpatías por José Manuel iban saliendo mermadas. Sus camaradas de esclavitud no podían comprender el fondo de sus discursos. Para ellos era algo sin sentido, o uno de los tantos modos de aplazar sus cuestiones, tal como solían hacerlo los amos compasivos para aquietarles un poco en su desgracia. La única solución que podía satisfacerles era la inmediata; lo demás era farsa y engaño. ¿Para cuándo iba a ser esa libertad de que les hablaba José Manuel con tanto misterio? ¿Cómo era posible que fueran a hacer causa común con él, siendo un negro, los mismos hombres de la raza opresora? A título de qué iban a levantarse aquellos hombres que vivían tan bien, llenos de riquezas y bienestar, dueños de tierras vastísimas y de grandes rebaños de siervos y bestias? ¿Por ser esclavos también? ¿Pero de quién eran esclavos? ¿Dónde estaba el amo, que no le veían? ¿Dónde los capataces que les hicieran trabajar a zurriagazos como a ellos? ¿Por qué razón, siendo todos estos señores esclavos, hacían, precisamente, vida de hombres libres, yendo y viniendo por donde querían, comprando y enajenando públicamente, al amparo de una fuerza pronta a hacer respetar la propiedad y a restablecer el orden que cualquiera se atreviera a alterar? Y aquella fuerza ¿no era la misma que servía para perseguirles a ellos, cuando se cimarroneaban, y flagelarles y matarles como a perros cuando la cólera del amo lo exigía?

Nó, José Manuel no era un buen negro; era un renegado, a quien el trato de los blancos había contaminado de doblez e insensibilidad. Por algo tenía sangre de blanco, sangre llena de crueldad y soberbia, hecha para sojuzgar y pervertir todo lo que cayera bajo su dominio. ¡Ah, la negra de su madre, que nunca quiso dejarse poseer por ningún negro como ella! Esa fué la traidora de la raza. ¿Y todo para qué? Para salir con ese mulatillo, que parecía avergonzado de su origen materno, lleno de humos señoriles y de susceptibilidades ridículas en un esclavo.

Todas estas desconfianzas y antipatías fueron acumulándose en torno de José Manuel hasta casi aislarle de los suyos, obligándole a la reconcentración y a sacar de sí mismo las energías necesarias para sobrellevar dignamente su cruz de servidumbre, y a parecer indiferente a todo lo que pudiera recordarle su origen, tanto más sensible cuando más prohibido le estaba averiguarlo.

A veces, arrastrado por este pensamiento, se introducía cautelosamente en la alcoba señoril y allí, cruzado de brazos, junto al retrato vistoso de don José Manuel, abismábase en la contemplación de esa figura prócer, arrogante y marcial. Aquel rostro ovalado, de cabellera rubia y ondeada, emergido de un cuerpo cubierto de cruces y entorchados, como un símbolo de prosopopeya castellana, causábale una extraña sensación, mezcla de sumisión y respeto, de amor y orgullo. Los ojos, sobre todo, eran lo que más le conmovía, lo que le hacía pensar en las cosas profundas y misteriosas que aquella raza blanca escondía tras de ellos, y cuyo azul era lo último que trasmitía al cruzarse con aquellas otras, negras y cobrizas. Era el color electrizante de los mulatos, de los cholos, de los zambos, de los híbridos en general. ¡Y qué hermoso era el azul de los ojos de este señor que tenía delante. ¡Y qué frío y acariciador a la vez!

Y cuando al fin de la muda contemplación, satisfecho de la nobleza y prosapia de la figura prócer, sin descomponer su postura, volvía los ojos al espejo que colgaba más allá, poníase a examinar, de arriba abajo, la imagen de la suya, alta, musculosa, viril, como la de un dios bárbaro, y a compararla con la otra. Y de esta comparación iba sacando un mundo de gratas y consoladoras semejanzas. Sí, la talla era indudablemente igual: allí estaban en soberbio maridaje la gallardía, la pujanza y virilidad. La nariz no podía ser más parecida: recta, firme, dominadora, sensual, Nada de ese horrible achata-

miento de las de sus maternos progenitores, que vivieron
eternamente exhibiéndolas como un signo de grosería y
bestialidad. ¿Y la barba con su hoyuelo umbilical? Ese
hoyuelo era como un signo, puesto ahí por el índice de la
amorosa conjunción —cuyo fruto único era él— y para
que nadie se atreviera a negarla mañana definitivamente.

Verdad que la semejanza no había alcanzado hasta la
boca, y menos a los ojos; pero esta misma disparidad era
una afirmación de que entre la imagen reflejada por el
espejo y la pintada en el cuadro había una afinidad, algo de común e indestructible. Además, que algo hubo
de poner su madre en esa conjunción, esa madre que,
movida quizá por una inconsciente aspiración de grandeza, supo hacerse llevar hasta la misma alcoba señoril
—en la que él venía de tarde en tarde a recrearse, haciendo dulces y enorgullecedoras comparaciones —y
mantenerse después en el propósito de negarse a cualquier otra solicitación erótica, como si con ello hubiese
querido no mancillar el recuerdo de una hora de felicidad y amor.

Su boca era, pues, la de su madre, mejorada, desafri-
canizada; y su cabellera, y sus dientes, fuertes y blancos,
y sus ojos brillantes, negros, crespos y fascinadores. "¡Ah,
—pensaba después de estas contemplaciones— si yo hubiera nacido blanco sería seguramente más hermoso que
mi padre". Y al pronunciar esta palabra, un dejo de
amargura le subía del corazón a los labios, haciéndole
modular esta interrogación: "¿Y si ese señor no fuera realmente mi padre?"

Y la interrogación se prestaba indudablemente a las
más variadas conjeturas. ¿Por qué no podría ser su padre uno de los tantos blancos de los alrededores de la
hacienda, uno de esos que solía venir a disfrutar en ella,
por temporadas, de las afamadas fiestas del amo, tan llenas de sibaritismo, ostentación y liberalidad? Su parecido con el señor del retrato no era un argumento definitivo. Blancos parecidos a él habían muchos. Por qué no
había de ser uno de éstos el que le trasmitió por la oscura y humilde vía maternal el perfil inconfundible de la

raza sojuzgadora y, sobre todo, su porte señoril, que era la envidia de sus iguales, la ironía de los demás y la causa de sus ocultos pesares?

Pero no, el silencio de su madre estaba allí, imponiéndole a la vez silencio a todas las dudas que la maledicencia o el sarcasmo pudieran suscitar. Ese silencio era la prueba de una lealtad de esclava, que una mujer libre, pero de humilde condición como su madre, no habría sabido ni querido soportar, porque sólo el amor y un dulce sentimiento de sumisión podrían inspirarlo. Una mujer libre y sin prejuicios sociales habría proclamado a todos los vientos, como una suerte, su caída y su maternidad. Ser madre de un hijo de don José Manuel de Sojo, aun bajo la sombra del amancebamiento, significaba para muchas mujeres libres un honor, que ninguna habría querido silenciar. Las mismas mulatas, jactanciosas y locuaces, no habrían sabido contenerse, a pesar de cualquier prohibición, ante la realidad de su aventura.

Y José Manuel, después de este constante y doloroso devanar, se proponía este sorites: "Si mi madre guardó hasta la muerte su secreto es porque quien me engendró se lo impuso; y el que se lo impuso no podía ser sino un hombre que mandase en ella, y como quien mandaba en ella era su señor, es claro que su señor fué el que le prohibió decirlo". Y concluía: "Pero ¿por qué esta imposición? ¿Para ocultar su debilidad de hombre o su capricho de amo? No, seguramente. Fué por orgullo y quizá por vergüenza de haber opacado el brillo de su estirpe. Ante un orgullo semejante, que tuvo la crueldad de ahogar tranquilamente la voz de los afectos paternales, hizo bien mi madre en responderle con el orgullo del silencio".

De repente el mulato vióse precipitado de la altura en que vivía. Don Juan Manuel apareció una mañana muerto, y el sol que alumbraba el camino del otro José Manuel se anubló. Esa muerte, a la vez que una sorpresa dolorosa para esclavos y colonos, fué también un trastorno para ellos. El amo se había ido para siempre sin dejar ninguna disposición testamentaria. Confiado en el

vigor de sus cincuenta años y en el orden con que llevaba sus asuntos, de los cuales, como él decía, a nadie tenía que darle cuenta y razón sino a Dios, el señor de
Sojo en todo pensó menos en que la muerte habría de
llevárselo sin dejarle tiempo para disponer de las cosas
terrenas y meditar un poco sobre las divinas.

Y sus bienes, después de declararse por la ley a quien
correspondían, pasaron por voluntad de sus herederos
peninsulares —que prefirieron las buenas onzas a la
aventura de venir a gozar de ellos— al poder de diferentes compradores, siendo uno de éstos don Francisco Javier de Paredes, marqués de Salinas, quien adquirió la
hacienda de Tangarará y con ella todos sus semovientes, entre los que se contaban los esclavos.

José Manuel se vió, pues, convertido en cosa. Aquello fue como un mal salto mortal, del que se levantó
aturdido y desconyuntado. La frágil envoltura de su bienestar estalló en mil pedazos y todo su orgullo de hombre quedó deshecho por la realidad. En un instante había pasado, casi sin sentirlo del resplandor de una vida
fácil y materialmente feliz a la oscuridad de una noche
más honda que aquella en que acababa de sumirse para
siempre su amo y protector. Y la transición fue tan brus-
ca que le dejó anonadado por muchos días. Todas esas
ideas de libertad, propiedad, orden, derecho, obligación,
que con relativa claridad habían alumbrado su espíritu, se
esfumaron y en su lugar fueron apareciendo otras, des-
consoladoras y sombrías, jamás presentidas por él hasta
entonces, y cada una de las cuales al asirse de su corazón
se lo desgarraba.

Y las nuevas ideas vinieron a decirle que habían dos
clases de hombres en el mundo: los que eran y los que
no eran; los que vivían para ser servidos y los que vivían para servir; los que se agitaban libremente en un
plano inaccesible y los que trabajan para éstos en una
sima profunda, de la cual, aun después de salir, sólo se
traía ignominia y desprecio.

Y como a él le había tocado ser de estos últimos, la
ruta que le correspondía seguir estaba perfectamente

marcada por su propio destino. Resignarse y someterse debía ser su lema en la nueva vida en que iba a entrar. Nada de rebeldía, ni orgullos, ni protestas. Y así se lo previno desde el primer día el nuevo amo.

—Mira tú —le dijo, entre risueño y amenazador—, aquí todos mis esclavos son iguales. La única desigualdad que admito y recompenso es la del que trabaja más. Deja a un lado los pindingues y la guitarra y ponte a trabajar decididamente en todo lo que el mayordomo te mande.

—Creía, señor, que iba a continuar en el escritorio.

—No, eso de las cuentas y de la correspondencia está bien para otra clase de gente. Yo creo que tú en un rozo harás primores. Eres, precisamente, de los mozos que necesito yo para desmontar y sembrar.

—Como usted mande, señor; pero don José Manuel, que era un caballero que lo entendía, me creyó siempre más apropiado para las cosas del escritorio.

—Tendría él sus motivos. Pudo también libertarte y hacerte su socio y con eso no habría probado nada en tu favor. Yo seguiría creyendo que para el hacha y el azadón no tienes precio.

—José Manuel sirve para todo, señor; ese es mi orgullo.

—¡Ah, con que sabes tener orgullo! ¿Y desde cuándo un esclavo se permite tenerlo?

—Desde que sabe que es hombre, señor, y qué cosa hace bien y para qué sirve.

—Bueno, bueno. Olvídate de lo que has hecho hasta hoy y procura que lo que vas a hacer en adelante no tenga que enmendarlo el mayordomo, y así viviremos en paz.

—Yo quisiera que fuera usted, señor, quien apreciara mi trabajo, pues lo que es el mayordomo, y usted perdone mi franqueza, como siempre me ha tenido tirria, seguramente nunca va a encontrar bueno lo que yo haga.

—No creo que Chabaco sea tan mezquino como tú te lo imaginas. Anda no más ya ya veremos.

Y el *anda no más* fue dicho tan fríamente por su señor, que José Manuel partió de la casa, en que hasta entonces había vivido, lleno de amargura y rencor. "¡Anda no más" ¿Y adónde? A ponerse a las órdenes del hombre más servil de la hacienda, un cuarterón liberto, de mirada aviesa y tan taimado que de todo sabía sacar provecho para sí. ¡Con qué alegría iba a recibirle aquel hombre, que tanto le había envidiado su pasada situación!

Lo del trabajo no le afectaba tanto. Labrar la tierra no era para él deshonrarse. Quizá si allí encontraría lo que en el escritorio jamás pudo encontrar: la satisfacción de algo que no podía explicarse, y que, en el fondo, no era otra cosa que el deseo de ver su fuerza muscular triunfante de la naturaleza y de sentirse más libre de las miradas compasivas y burlonas de los blancos.

Y en este esfuerzo físico pronto encontró José Manuel un calmante para la rabia sorda que le apretaba el corazón. Y aunque esto no le anulaba del todo la facultad de pensar y, por lo mismo, la libertad de fantasear sobre su manumisión, se la enervaba al menos, hasta el extremo de que al volver su pensamiento de las regiones de las mudas protestas no tenía ya la agudeza que llevara al partir. Comía distraído, sin el hambre de otros días, y cuando empuñaba la guitarra, esta fiel compañera de sus penas, después de largo preludiar, como buscando así el tema más acorde con la sombriedad de su alma, sólo sabía entonar en voz baja, casi musitante, algunas de las raras canciones de su raza, ardientes, sensuales, imperativas y quejumbrosas a la vez.

Y estas canciones, brotadas de un pecho lacerado y cantadas en el seno de las noches profundas y plenas de los ruidos misteriosos de los campos, comenzaron a escucharse con deleite primero, y después con religiosidad, atrayendo al rancho de José Manuel a toda la negrería del contorno y a la mesticería modesta de la hacienda, ávidas siempre de fiesta y holganza. El mulato parecía no percatarse de este poder atrayente de sus manos y su voz.

Ni siquiera se dignaba contestar los saludos de los que iban llegando a sus puertas. Con la mirada fija quién sabe en qué punto, visible sólo para él, su diestra, nervuda y larga, pulsaba, con paradójica suavidad y epilepsias de arácnido, la hexacorde caja, que entre sus brazos parecía una virgen despernada, a quien la mano de un ogro sádico se entretuviera en estrujarle el vientre para hacerla gemir.

Una noche, cuando, más satisfecho que cansado, le ponía José Manuel término a estas expansiones musicales y se preparaba a acostarse, uno de sus oyentes, acogiendo el deseo de los demás, se apresuró a pedirle algo especial para ellos, ya que todo lo que había tocado parecía haber sido sólo para él. José Manuel, como sorprendido de la presencia de su público, se limitó a sonreír y templar las cuerdas, aflojadas por los melódicos espasmos, y, después de carraspear, exclamó:

—¡Caramba, más honrado ni el patrón! Veo aquí a lo mejorcito del caserío. Y usted, ño Parcemón, que tanto sabe de templar y rasgar, ¿por qué no les da una yapa a estos muchachos?

El interrogado, un negro viejo de mirada sabia y reflexiva, que había estado escuchando con más religiosidad que los otros, contestó:

—¡Qué ponderación la tuya, José Manué! Y en toavía en tu elante, pa que los deos se me encabriten y to este carnavá de negros se ría en mis ñatas.

—Deje usted la aprensión a un lado, ño Parcemón, y haga la prueba. Yo he tocado ya bastante esta noche.

—Pero yo no te he oido —dijo desde fuera una voz—; y yo he venido a ver si es cierto todo lo que dicen de vos, que hoy tocas más mejor que antes.

A esta voz todos se volvieron, y al ver que quien así hablaba era ño Chabaco, un involuntario gesto de disgusto contrajo todos los rostros, y las bocas enmudecieron. Pero José Manuel, a quien la frase iba dirigida y en cuyo tono había advertido, más que una petición, un mandato y una ironía, asestándole una fría mirada al intruso, contestó:

—Pues ha venido usted en vano, ño Chabaco, porque yo sólo toco cuando se me antoja.

—¿Y cuando te lo mandan...?

—No sé qué contestarle, ño Chabaco, porque hasta hoy nadie me lo ha mandado. Las únicas que me han rogado para que toque han sido las mujeres, y, naturalmente, he tenido que darles gusto. ¡Si fuera usted mujer, ño Chabaco!...

—Entonces va a ser esta la primera vez que te lo mande un hombre y lo hagas. Ya sabes vos que después del amo yo soy aquí quien manda, y cuando mando algo hay que hacerlo manque el mundo se abarraje. ¿Te has dao cuenta?

—Vaya que no, ño Chabaco. Habla usted muy claro y yo también. Pero usted es el que no me ha entendido. Y para que me entienda le diré en lengua de cristiano que no me da la gana de tocar.

Ño Chabaco se precipitó dentro de la choza y, enarbolando un grueso y pesado garrote de naranjo, gritó, amenazador:

—¡O tocas o te abro la cabeza, negro del...!

La frase no fué terminada. José Manuel se abalanzó rampante sobre el mayordomo y, cogiéndole la diestra y retorciéndosela, le hizo soltar el palo y, de un empellón, rodar fuera de la choza.

—¿Se ha imaginado usted, so bravucón, adulete, que a José Manuel se le hace obedecer con el palo? El palo para los perros y para usted, que bien lo merece. Como vuelva usted por aquí con imperios y amenazas, el que le va a abrir de arriba abajo soy yo, aunque después me cuelguen. Mejor; me harían un servicio, que ya me va hartando esta vida arrastrada.

Ño Chabaco, despechado y furioso, después de recoger su garrote, el cual ostentaba en todas partes como un símbolo de fuerza y autoridad, se retiró, prometiendo al que acababa de humillarle una sonada y cumplida venganza, mientras los demás esclavos, irritados por el vejamen intentado contra su compañero, lo comentaban, airadamente, a gritos y pidiendo que el amo pusiera alguna vez remedio a los abusos de aquel hombre.

Y la protesta cundió esa noche por el caserío de la hacienda hasta originar un motín y asustar al mismo que lo causara. Felizmente José Manuel supo contener y apaciguar a los amotinados. "Nada de violencias —comenzó por decirles—, que sólo servirían para facilitar los planes endiablados de ño Chabaco, que, por lo visto, parece empeñado en sacarme de aquí por cualquier medio. Y si no, ¿por qué ha venido el mayordomo a mi choza tan de repente? ¿Acaso no me ha oído tocar muchas veces? No, lo que él ha venido a buscar, indudablemente, es un pretexto para meter ruido y obligar al amo, un poco asustadizo, a privarles a ustedes de estas noches de expansión. No hay, pues, que darle gusto al diablo. Qué más se querría ese desalmado casilí que, arrastrados todos por la cólera, nos levantáramos y cometiéramos alguna de las nuestras. Vendría luego el ajuste de cuentas, y a todos se nos ajustaría sin misericordia. Porque más habrían de creerle a ese malvado que a nosotros. Conque, a dormir y esperar hasta mañana para ir a exponerle nuestras quejas al patrón".

El grupo, atendiendo las prudentes reflexiones de José Manuel, se deshizo, quedando sólo con él ño Parcemón, el esclavo más viejo de Tangarará y el más razonable y circunspecto de todos. José Manuel le invitó a sentarse. Ambos parecían abrumados por los mismos pensamientos.

Al fin el anciano rompió el silencio, murmurando sentenciosamente:

—Chabaco es malo y no perdona.

—Yo tampoco, ño Parcemón.

—¡Quién sabe con las que nos va a vení mañana!

—Pues aquí estamos los dos para desmentirle. Y si el patrón no quisiera creernos y pretendiera humillarme, él y ño Chabaco me la pagarían juntos. ¡Por estas cruces!

—No digas, José Manué, lo que quizá no vas a cumplí. Y manque lo cumplas, ¿pa que había e servite? ¿Onde irías vos que no te acorralaran como venao? Y si no pudieran acorralarte te pregonarían, y una vez pregonao, ¡virgen santa!, la guara e gente que s'echaría a rastriarte.

—¿Quieres decir entonces que hay que dejarse tratar a patadas y garrotazos por el bruto de Chabaco?

—O estar bien con él. Yo en los años que vivo al servicio e los blanco, que es dende que nasí, enjamás los vide darles la razón a un esclavo. Soplamocos, puntapiés, chirriongasos sí.

—Pues por eso, porque los esclavos son aguantadores y cobardes. Estiman más la piel que la vergüenza. ¡Si todos nos pusiéramos de acuerdo y nos levantásemos a una voz!

—¿Y que haríamos nosotros solitos, José Manué? Suponte que tos los hermanos del vaye nos conchaváramos pa hasé lo que vos desís y que en un por l'aire tos juésemos libres y mandásemos en los blancos, ¿te cres vos que las cosas iban a quearse así? ¿Te cres vos que los blancos de otras tierras iban a darse por vencíos? ¿Qué noas oido desí vos, que han estado junto al señorío, lo que los blancos de allá bajo han hecho cuando los indio pobresito sian pajariao contra ellos?

—Sí, sí, lo sé: los han vencido y luego, colgado o descuartizado.

—Pues ni ma ni meno harían con nosotros, sin provecho pa naides.

José Manuel miró compasivamente al anciano.

—¡Sin provecho para nadie!... Eso es lo que más le preocupa a usted, ño Parcemón: ¡el provecho! ¡Y que lo diga usted con los años que tiene! ¡Si le dijeran a usted que en el levantamiento no iba a correr sangre y que después del triunfo nos iba a tocar en el reparto a cada uno de nosotros una casa con petacas de dinero y media docenita de mujeres, y el goce de todo en paz y gracia de Dios, entonces sí que clamaría usted por el levantamiento ¿verdad?

—¡No, José Manué! ¡Qué mal pensao sos! Nues por eso. Es que me parece inútil sacurirnos. Semos un pu-

ñao no más, y nuay recursos. Sin recursos ¿pa qué pe-
liar? ¿Y quién le da ni agua a un negro? Nosotros, José
Manué —y nuay que ofenderse— semos unos desgraciaos,
cien veces más desgraciaos que los mesmos indios de los
obraje. Estos tuavía tienen quien saque la cara por ellos,
manque sella de mentiría. Y así, cayaditos y mansurro-
ne como los ves, saben quejarse y sacá su poquito e provecho. Y, manque rumiadore como cabra e cara e mo-
tolitos, se les tiene por gente. Cierto que se les hase jipá
como bestia a los pobresitos y se les cuerea hasta mata-
los, pero no se les vende. A nosotro, fijate, José Manué,
a nosotro sí. ¡Caramba, semos pior que los indios! Por
un negro como yo, cien pesos, o un poquito má; por uno
como vos, quinientos, mil. ¡Ah, nos desprecian! ¿Y po
qué, vamos a ve? Porque no tenemos el cuero blanco, como eso godo que vienen de l'otra mar, con una mano
atrá y otra elante. Pero a l'ora e cumbianga, los mesmo
blanco, olvidao del coló, sin miero al tisne, bien que cu-
charean en nuestras ollita. Y sino, ai tas vos, que no eres
más que un atravesao. ¿Mestás oyendo, José Manué?

—Siga usted.

—Un señó, no sé qué señó, que tú mare no lo quiso
así, manque a mí me se pone quién jué, vido un día a la
Casimira y se llenó l'ojo. Como que la dijuntita jué canela y asuca. Y ¡sas!, arrunsó con ella pa su fogón y
nosotros, ni pa olé. Y anque, según el desí, le dió güena estimacion, como si juera un taleguito e onza, lo sier-
to e que la tuvo e taparito, como seda e contrabando.
¿Y sabes po qué, José Manué? Pue poque no jué blanca
y, naturalosamente, le ofendía y lusila.

—¿Y no crees tú que ese señor fué don José Manuel
el marqués?

—¿Cómo aseguralo? El señó marqué jué tan reservao q'enjamás se dejó sorprendé de naides. Y tu mare,
como una tumba. ¡Más ergullosa la morena! Pero gol-
viendo a lo q'ibamos, si nos diera por sacurirnos e nuestros amo, quién iba unirse con nosotros pa regolvé la
cosa y ponerla a nuestro gusto? ¡Naides! ¡Semos una casta e malditos!

—¿Quién, hombre de Dios? Los mismos blancos —afirmó José Manuel, imperturbable.

El viejo esclavo se desató en una estrepitosa carcajada, que le hizo acordonear el vientre y mover la cabeza en todo sentido. Y después de pasear de un extremo a otro de la habitación, se paró de pronto frente a José Manuel, que le había estado siguiendo con la vista todos sus movimientos, y mirándole con fijeza los ojos, como si en ellos hubiera querido descifrar un enigma, exclamó:

—¡Los blanco! Esto no estaba en mi librito, José Manué. ¿Te has fijado en lo que has dicho? ¡Los blanco!... Como si me ijeras, los amo. ¿Y cómo van a levantarse los amo contra ellos mesmos? ¿Qué te has güelto síncero, —José Manué?

—Estoy en todo mi juicio, ño Parcemón. Al decirle a usted los blancos, me he referido a esos que son a la vez amos y esclavos como nosotros. ¿Qué se ha creído usted? En estas tierras hay también blancos que son esclavos. Usted no lo creerá porque no los ve en manada y trabajando en los campos y galpones bajo el látigo del capataz. Es que esos andan por las ciudades, tienen casas y tierras, y se codean con los otros, y hasta cruzan con ellos su sangre y su linaje. Pero como los unos son mestizos y los otros, aunque blancos por sus cuatro costados, tienen la tacha de haber nacido aquí, no se les deja meter la mano en todas las cosas de los godos. Porque aquí, ño Parcemón, no hay más hombres libres que los godos. Para que lo sepa usted de una vez.

—¿Y don José Manué?

—Ese sí. Pero hay otros que, aunque tienen la piel más blanca que la leche y el pelo más encendido que la candela, y los ojos más azules que el añil, son esclavos, y quizá más dignos de lástima que nosotros. Porque, en fin, de nosotros apenas si algunas sabemos lo que es la libertad. Y así como el pobre se la pasa contento sin la riqueza, y muchas veces feliz, porque no sabe lo que es la plata, y lo mismo el ciego de nación, sin luz, así los esclavos como usted ño Parcemón, tampoco pueden saber, si no se lo han enseñado antes, lo que es la libertad. Hay que hacerla entender, como me la han hecho entender a mí los libros, y las conversaciones de don José Manuel y los otros señores, y, sobre todo, mi sangre mestiza. Por algo soy mulato. La voz de la sangre de mi padre la siento que me dice muchas cosas. Ella es la que me grita que me rebele cuando pienso en mi condición y veo a un hombre quererme tratar como bestia.

. —Me estás diciendo, muchacho, unas cosas tan bonitas que me hasen retosá el corasón. ¿Conque tamién hay blancos esclavos como nosotro? ¿Y quién los ha puesto así, vamos a ve?

—La fuerza, el brazo de un hombre que ha podido más que ellos y que vive a muchos miles de leguas de aquí. Es el amo de todos los de acá. Debajo de él están todos los demás hombres, sus vasallos, en gradas. Cuando él quiere, los de más arriba bajan y los de más abajo suben; pero sin llegar hasta donde él, por supuesto. Y en esta gradería no estamos nosotros, los negros, sino más abajo todavía. Somos el suelo en que descansa la escala. ¿Qué le parece, ño Parcemón?

—Pior que las bestias.

—Peor que las bestias y que los indios de los obrajes. Y esto tiene que terminar alguna vez.

—Ya lo creo. Todos semos hijos de Dio. Pero cómo vamos nosotros solito a tumbar a ese hombre que está en la otra mar, sentao en su trono como un Pare Eterno. ¿Cres vos que podríamos dir hasta allá?

—Ya te he dicho que eso lo vamos a hacer con los blancos, y los indios, y los mestizos y todos los desesperados de esta tierra. El día está por llegar. Me lo dice mi corazón y ciertos rumores que vienen de la costa abajo. Porque esto no puede seguir así, ño Parcemón. No es posible que trabajemos como animales y que nunca tengamos nada para disfrutarlo a nuestro gusto. Y esto es lo que se me ha metido entre ceja y ceja desde que hemos entrado al poder del nuevo amo. Cuando suene la hora, yo seré el primero que corra a verme la cara con los godos. Si me matan, menos mal. Siempre será la muerte preferible a esta vida odiosa que llevamos. ¿No es así, ño Parcemón?

El anciano, emocionado, no supo de pronto qué contestar. Una luz había comenzado de repente a iluminarle las profundas oquedades de su oscura inteligencia. Jamás había oído hablar así a ninguno de los suyos, quienes, más o menos conformes con su suerte, sólo pensaban en holgar y evitar los castigos y tener por amos hombres providentes y benévolos, que supieran gobernarles con el estómago satisfecho. Y ahora le salía este mocito con que la vida no era esto solamente sino algo más, mucho más: ser libres e igual a los blancos, poder fraternizar con ellos. Una locura, verdad. Como si alguien quisiera transportar los cerros del otro lado del Chira, que estaban al frente, y rellenar con ellos el valle. ¡Pero era tan consoladora y grata esta locura!... ¿Y si pudiera hacerse un ensayito? Por ejemplo, que se movieran los otros mientras él, desde su choza, esperaba el resultado.

—La verdá, José Manué, que tienes mucha labia. Por algo se rediten por vos las mosa el vaye. Yo mesmo no sé qué pensar de lo que te oigo. Tengo la cabeza muy ruda pa comprendé todo; pero lo que mi caletre no apaña lo apaña mi corasón. Sí, José Manué. Y él mestá iciendo que t'empreste fe, porque sólo los moso juertes y resueltos como vos serán los que sabrán hasese matá mañana pa danos libertá.

—Y no se equivoca usted, ño Parcemón. Cuando ese día llegue, si usted está vivo todavía, oirá con respeto mentar el nombre de José Manuel.

El viejo, con cierta unción y retirándose, murmuró:

—¡Lo creo, lo creo! ¡Quién sabe si vos verás nuestro salvadó! ¿Pa qué, si no, tienes vos sangre de amo en tu sangre?

Al día siguiente el señor marqués de Salinas, con el ánimo preparado por el mayordomo, que, hipócrita y humilde, le había relatado a su gusto lo acontecido en el rancho de José Manuel, hizo llamar a éste, y, después de reprenderle ásperamente delante de todos los esclavos, concluyó haciéndole esta prevención:

—Ya lo sabes, zambo, es la primera y última vez que te perdono un faltamiento semejante. Como reincidas te mando a los trapiches de la sierra, bien recomendado, o a las tinas de Piura. Ahora pídele perdón al mayordomo y a trabajar para que Dios te ayude.

José Manuel, que había escuchado la reprimenda ceñudo, cruzado de brazos y sosteniendo con firmeza la mirada amenazadora del marqués, exclamó:

—El ofendido he sido yo, señor, como pueden decirlo todos los que están aquí presentes. Si así es ¿cómo voy yo a pedirle perdón a ese hombre? Es algo que mi pobre cabeza no entiende.

—Pues aunque no lo entiendas, lo mando yo y basta.

—Señor marqués, haga usted lo que quiera de mí, pero yo jamás pasaré por la vergüenza de humillarme ante ño Chabaco, que no sabe más que espiar y calumniar a los de su raza.

—¿Qué dices? ¿Te atreves a desobedecerme y hablarme de esa manera? ¿No sabes tú, gusarapa, que yo te puedo hacer polvo con sólo una palabra que diga?

—Lo sé demás, señor; para eso me ha comprado usted, para eso soy quien soy. Mi destino será padecer las injusticias de los blancos.

El marqués, exasperado por la actitud del esclavo, cosa hasta entonces nunca vista en la hacienda, ordenó airadamente:

—Chabaco, coge a este zambo y ponlo en el cepo hasta que yo disponga otra cosa.

—¿En cuántos puntos, mi amo?

—En los que te dé la gana.

José Manuel se encogió de hombros y se dejó empuñar tranquilamente de dos esclavos, tan fornidos como él y al parecer destinados a esta clase de funciones.

—Está bien. El cepo no deshonra. Lo otro habría sido para morirse de vergüenza.

Y mientras ño Chabaco, con alegría diabólica, hacía poner al rebelde mulato en el cepo, todo lo más abierto de piernas posible, el señor de Salinas, después de haber hecho retirar a sus esclavos, en quienes observara, no obstante la impasibilidad de ellos, un indicio de simpatía hacia José Manuel, pensaba: "Esto va dañándose. Ya esta canalla se atreve a desobedecer y hablar de vergüenza y otras cosas propias de la gente. A este paso no me va a quedar otro camino que desprenderme de ellos, o molerlos a palos, o colgarlos de un algarrobo. Aunque mejor sería salir de este negro mentecato, que me está corrompiendo a los demás.

Y acordándose de repente de algo que podía servirle de solución al punto que lo tenía contrariado, llamó:

—¡Agustín!

—Señor —contestó, presentándose, el que hacía de secretario del marqués.

—Dime tú ¿don Diego Farfán de los Godos no me escribió ahora días pidiéndome que le vendiera un esclavo para su Tina?

—Sí, señor. Hace ya un mes de eso. Y no se le ha contestado porque usted me dijo que iba a pensarlo.

—Bueno. Pues acúsale recibo y dile que tengo un negro que ni mandado hacer para lo que él necesita.

Y antes de los quince días José Manuel fue vendido y mandado a Piura, como un semoviente más del señor Farfán de los Godos, hombre de campanillas, pero un poco contaminado de cierto espíritu democrático, que le llevaba a conciliar las feroces intransigencias del pergamino con los desdorosos y plebeyos menesteres de la industria.

UNOS PIES DIVINOS Y UNAS MANOS
HABILES

La influencia de María Luz se había extendido no sólo sobre las almas sino también sobre las cosas. El jardín, que en el centro del patio yacía amustiado, dentro de un cuadrilátero de desportillados ladrillos, hasta antes de su llegada, comenzó después a reverdecer y florear con todos los colores múltiples y detonantes de la gama tropical. El rosal tuvo al fin una mano acuciosa que se posara en él y le ayudara a renovar la fuente de su savia; el jazmín de Cartagena, quien recogiera todas las tardes el maravilloso presente de sus flores diminutas y escandalosamente fragantes, desdeñadas y perdidas otrora, como esas vírgenes que, cansadas de esperar un amor que nunca llega, se secan sorbidas por la clorosis y el deseo. Las diamelas pudieron ya rivalizar con el jazmín en albura y fragancia; las chavelas y alhelíes, alegrar con su carmín el monótono verdor del conjunto; los claveles, exhibir, orgullosos, sus gorgueras multicolores y las azucenas, con sus tirsos de flores eucarísticas, ufanarse sobre la unción episcopal de las violetas.

El papelillo, que tampoco quiso ser menos en esta fiesta de alegría y rejuvenecimiento, trepó más alto que nunca por un arco de cañas que iba a morir en el borde del empinado alero. Parecía una reventazón de llamas en asalto. Los cuatro tamarindos de los ángulos del patio lucían también, alborozados, su fronda, vencida por el peso de los racimos de agridulce y pulposo fruto.

Hasta el ñorbo, que parecía agostado para siempre, igual que el papelillo, se desbordó también sobre su arcada en un ansia de cielo, asomando entre la media luna de sus hojas los morados órganos de sus flores pasionarias.

Y era aquí donde pasaba las mañanas enteras María Luz, acompañada, las más de las veces, de la Rita, quien desde la tarde de las confidencias, se mostraba más devota suya y más alegre en su confinamiento. Pero los cuidados que le exigía el jardín no eran suficientes para llenarle a María Luz el pensamiento. En todo esto no había sino un entretenimiento ocasional, el derivativo de un temperamento ávido de novedad y emoción. Las flores pasaban por las manos de María Luz como los juguetes por las manos de un niño. Acariciadas un instante, caían deshojadas después, o iban a languidecer en las consolas de la sala y en los retablos de los santos. De ellas lo que más le gustaba era el perfume. El color y la belleza admirábalos un instante, pero el perfume era lo único que le hacía vibrar su sensibilidad hasta sumergirla en una especie de arrobamiento, del cual, al reaccionar, volvía anhelosa y suspirante. El olor de las violetas y jazmines, sobre todo, despertábale una rara voluptuosidad. Sus baúles, su cómoda, sus libros trascendían a estos dos penetrantes perfumes, que unidos al del cedro formaban su triple esencia favorita.

El jardín no venía a ser, pues, para ella más que un pasatiempo, una manera de burlar las representaciones que su ardiente imaginación le fingía en las horas de siesta, falaces y traidoras. Haciendo algo olvidaba. Hacía de esta diversión un escudo y, confiada en él, ponía detrás su corazón. Era entonces cuando su alma se mostraba en toda su desnudez, cuando una llama de ingenuidad iluminaba su rostro y reía con la risa de un corazón sencillo. Y es que ella misma era también una flor, la más fragante y bella de ese jardín humano, que no podía florecer por falta de luz y libertad.

Y así parecía ella entenderlo cuando al mirar las rosas que cogía diariamente, comenzaba primero comparándolas con ella, para acabar después haciendo simbolismos delicados y oportunos.

—¿No es verdad, Rita, que esta rosa se parece un poco a mí?

—Ya lo había pensao niña, antes que usté la arrancara. Pero más por lo fresca que por lo hermosa, pues, su mersé me parese más linda que todas las floresica del jardín. ¡Dichoso quien la arranque y se la yebe!

—¡Calla, embustera! Y tú no te quedas atrás. También tienes de rosa.

—¡Qué ponderación, niña! Yo soy una pobre chavelita.

—¡Tonta! ¡Venme con modestias! Tú eres una rosita, que no va a saber tu godo dónde colocarla cuando se la lleve. ¿Y los claveles? Fíjate en éste. Parece un marqués, muy pagado de su color y de su golilla de encajes. Es el pisaverde del jardín. Quién pudiera oír lo que les dice a las violetas, a las azucenas y a las rosas, porque, como lo supongo tan presumido, creo que a las otras pobrecillas ni las mirará siquiera.

—Como los hombres, niña. ¡Qué pena!

—Como los hombres. ¡verdad! Y como las mujeres también, porque hay algunas que de puro pagadas de su belleza, no tienen ojos más que para recrearse en su propia contemplación, hasta que las sorprende la primera cana y las hace llorar.

—Usté no es así, mi ama. Usté sabe, mejó que nadies, lo que vale, y dejuro también lo que senefica que un hombre nos aprecie y nos lo diga. ¿He dicho bien, niña?

—Has dicho la verdad, aunque muchas veces lo que uno quisiera oír no lo oye nunca, y menos del hombre que se desea, sino del primero que se les antoja fijarse en nosotras. Y es porque el deseado no llega nunca, y si llega no puede decírnoslo.

—¿Y por qué, señorita?

—Por haber muchas cosas que se lo impiden. Hay que contentarse entonces con desear y callar. La unión es imposible.

—La unión, bueno; pero el amor... Entonce se quiere cayadito. Así h'estao yo queriendo, niña, un porción de tiempo, y así habría estao toa la vida si no es porque la suerte me empujó pacá, señorita. Ahora ya entiendo por qué l'otra noche cantaba José Manué en el molino unos tristes que partían l'alma.

—¿Y dónde estabas tú?

—En el cuarto e ña Martina. Y yo me decía, oyéndole: "¿Quién será la que lo hace palpitá así al pobre?"

María Luz se estremeció, a pesar del esfuerzo que hizo por mostrarse indiferente.

—¿Y qué cantaba José Manuel? ¿Recuerdas? —preguntó el ama con fingida displicencia...

—¡Vaya usté a sabé, niña! Apenas si me recuerdo que decía que la mayor desgrasia de un hombre era querer sin esperansa.

—Lo que no dejaría de halagarte, porque, seguramente, aquello iba dirigido a ti.

—Eso sí que no, niña, eso sí que no— repuso la mulatilla, ruborosa y confundida—. ¡Pero si no sabía que yo estaba ai escuchándolo!

—¿Y qué hacías entonces en el cuarto de la Martina?

—Había aido porque se me ocurrió cierta cosita, que quería probá hase tiempo.

—¡Hum! Yo creo que José Manuel estaba acechándote y te vió pasar.

—Por Dios que no, niña. Si así canta las más de las noches, al desí de ña Martina. Y ña Martina, que to lo sabe porque to se lo disen las cartas, me dijo, cuando José Manuel paró de cantar: "Ese mulato está oletiando algo que no puede alcanzá. Y eso sólo es de poco tiempo acá. ¡Cuidado, Rita, con vos!" Y como yo m'echase a rir, se quedó mirándome un rato, después barajó los naipes, y ya que los hubo barajao bien, los jué colocando en ringlera. Luego me mandó escogé uno y yo escogí la sota e copas. Ajuntó entonce todas las cartas y güelta las tendió, y repitió esto por tres veces, conforme le señalaba yo ónde quedaba mi carta. Y en la última ves murmuró, muy seriamente: "No, nues con vos la cosa. La mujer que tiene al mulato sorbió el seso es otra. Es ni más ni menos que si vos estuvieses parada en el pretí de la Matrís y ella en la punta e la torre. ¡Diablo de negro!" Y no me quiso desí más.

—¡Bah! Tonterías de la Martina. El juego de cartas es cosa de cándidos y fulleros. Si por las cartas pudiéramos saber todo, nadie tendría secretos y la vida sería imposible.

—Así mesmo le dije yo, pero eya, me dió una torcida de ojo y me contestó, enfurruñada: "Hijita, esto e como el cuento el chuso: el que quiere lo aseta y el que no, lo deja".

María Luz, que mejor que nadie, sabía cuanta verdad había en lo dicho por la enfermera, pues todo lo que José Manuel venía haciendo desde un tiempo atrás así se lo decía, cortó el diálogo, y mientras sus manos entreteníanse en hacerle a las plantas su toalé matinal, su pensamiento tendía un puente sutil entre la locura de su simpatía invencible y la audacia de un esclavo infeliz. Y por ese puente veía escapársele hacia el extremo oscuro toda su compasión de mujer, todo su orgullo de ama, toda la dignidad de su sexo. Y en el extremo aquel veía unas manos que pulsaban una guitarra, una boca, cuya voz sollozaba al cantar, y unos ojos clavados en una estrella muy lejana, a la cual pedíale un rayo de su luz para su noche eterna. Y en este vaivén de ideas disolventes, de las que su corazón salía sangrante y vencido, el pensamiento de ceder a las sugestiones del deseo, que era siempre el tema dominante de su alma, se le presentaba cada vez más exigente y dominador.

Pero donde María Luz puso más de su gracia y de su acuciosidad de creyente fue en el oratorio, olvidado desde tiempo atrás y en cuyo polvo parecían yacer los ecos de las plegarias y de los cantos litúrgicos. Así como su cuerpo, cogido desde el día de su llegada por la siesta y el sol, sentíalo sediento de caricias y de goce, su alma anhelaba también sumergirse en un baño de espiritualidad, darse a ratos a las cosas de Dios para ver si con ello alcanzaba a vencer las tentaciones de la carne o a justificar la sed de sus deseos.

Un día, curiosa y emocionada, abrió las puertas de la olvidada pieza y al entrar se sintió presa de un religioso temor. Tras de ella irrumpió un chorro de alegre claridad, mientras el aire, en ráfagas inquietas, removía el espeso olor de sacristía y de cosas guardadas, pegado ahí desde quién sabe qué tiempo. Ante esta invasión de aire y de luz las cosas parecían despertar de un largo y brumoso sueño y saludarse alegremente, cual viejos camaradas, que, después de separados por la oscuridad de una noche inconmensurable, volvieran de repente a encontrarse, viejos y lisiados, pero siempre los mismos y en el mismo sitio. Y todo estaba ahí como el olvido o la indiferencia lo dejaran.

Sobre la mesa que servía de altar, con su frontal de suela dorada, los dos candelabros de estaño, cubiertos aún por cuajadas lágrimas de cera, y el retablo, churrigueresco, cubierto de oro y símbolo, ostentando dentro de sus camarines las imágenes de las vírgenes del Carmen y de los Dolores, de San José y de San Antonio, todas ellas de bulto, vestidas mundanamente y con sus atributos propios. Y como centro de esa sagrada constelación, un Cristo de marfil, desencajado, exangüe, descoyuntado por el espasmo de una contracción dolorosa y la cabeza abatida por el peso del cruento sacrificio.

En un rincón, dentro de un improvisado tabernáculo de cedro, un dorado cáliz de plata, con sus vinajeras y su salvilla inseparables, como en espera de un nuevo conjuro para repetir el milagro de la transmutación. Y junto al depósito de la sagrada copa, en fiel y eterno maridaje, un misal antuerpiense, con las rojas cubiertas deslustradas por el uso, tal vez secular, y las multicolores cintas señaleras, descoloridas y deshilachadas, asomando por uno de los extremos del dorado lomo.

En la cómoda fue descubriendo María Luz más objetos sagrados, que iban revelando claramente, como el cáliz y el misal, que aquel lugar no había sido sólo para oración, sino también para la celebración de la misa, evitándole así a sus fundadores el trabajo de las salidas mañaneras o el desagrado de ir a las iglesias a confundirse con la plebe maloliente y pañosa. De aquel mueble iban saliendo las vestiduras que otrora vistiese el sacerdote oficiante: un ornamento de glasé, viejo y raído, con todos sus adminículos, cribado impíamente por la polilla y con un tufo tan desagradable que María Luz, asqueada y sin reparo, lo tiró tan lejos como pudo; otro, de espolín de plata, nuevo, con su casulla, su estola, su cíngulo, su manípulo y su bolsa de corporales, todo ello impregnado rabiosamente de espliego y alcanfor. Y en los otros cajones, los paramentos del altar, un bonete, pringoso por fuera y forrado por dentro; cirios descomunales y amarillentos, como tibias de cementerio, manojos de flores artificiales, descoloridas y mustias, como vieja carne virgen, y un incensario de plata, con los bordes ennegrecidos por el fuego, como las pipas culotadas de los hombres de mar. Y por ahí, olvidada, apenas visible, una campanilla de bronce de esas de ayudar a misa, harta, seguramente, de sombra y de silencio.

Aquel entrevero de cosas evocaba una reposada vida de holgura, de relativo esplendor, un pasado saturado de preeminencias señoriales, idas ya con quienes las establecieron. Porque todo estaba indicando que en ese lugar nadie había ido en mucho tiempo a abrir su corazón a la plegaria. Fue necesario que una mujer como María Luz, llena de inquietud y ardor, pusiera en él su pensamiento y sus manos para que todo ese místico mundo volviera a animarse y vivir.

Y a su llamada fueron desfilando todos los maestros artesanos que creyó necesarios para la reparación de aquello que la polilla y el tiempo había malogrado y destruído. Pero donde tropezó con una dificultad fue en la renovación del altar. Ninguno de los guarnicioneros presentados se creyó capaz de hacer el frontal y demás piezas de cuero complementarias. Todos convenían en que era necesario encargarlos a Trujillo, Lima, o Cajamarca, donde habían verdaderos artistas en esta clase de obras. Naturalmente María Luz rechazó estas indicaciones, que no compensaban la pérdida de tiempo y el suplicio de la espera. Aquello equivalía a una eternidad, a la expectativa de que el trabajo pudiera llegar quizás cuando ella no estuviese ya en La Tina y quién sabe en qué parte, que todo podía ser. Pero su padre se encargó de sacarla del apuro una mañana, mientras almorzaban.

—No te sofoques tanto, hija, con ese bendito frontal. ¿Por qué ha de ser de cuero? Yo de ti lo mandaría hacer de terciopelo o de damasco, y en la ciudad te lo haría cualquiera. En Piura hay manos muy hábiles y que pueden hacerlo por poca cosa.

—Es que el cuero le da un aspecto menos profano. Además las telas se pican pronto y cualquier roce las desgasta.

Don Miguel no pudo evitar una sonrisa ante el celo económico de su hija, inadvertido por él hasta entonces. ¿Conque la señorita se preocupaba en ahorrarle unos cuantos pesos miserables?

—Pues si tan empeñada estás en esa obra y quieres ahorrarme dinero, la cosa tiene remedio fácil. Como es cuestión de gusto y habilidad, más que de otra cosa, en casa está quien puede hacerla. Bastaría con darle la idea y nada más.

—¿Te estás burlando, tatito? ¿Quién puede ser ese curioso?

—José Manuel. José Manuel es un mozo de unas manos habilísimas. Acaba de hacerme una carona de cuero para mi montura, tan primorosa, que no hay más que pedir. Y quien trabaja así puede, a mi ver, hacer un frontal fácilmente.

María Luz, que no esperaba semejante solución a la dificultad, quedó gratamente sorprendida, y en el primer momento no supo qué decir. Su padre, atribuyendo aquel silencio a incredulidad, reforzó su opinión.

—Las talladuras en cuero de estos sillones son hechas por José Manuel. Su amo anterior, que supo lo que tenía en este esclavo, le puso de aprendiz de talabartero y al año sabía ya más que su maestro. Como muestra de su aprendizaje hizo estos asientos y respaldos. Ya lo sabes, pues, hija: José Manuel es el hombre que necesitas para eso.

"Que necesitas para eso". La frase le parecía a María Luz de una ironía diabólica. ¡Ah, si su padre pudiera imaginarse un momento para qué otras cosas podría también necesitar ella al hombre cuya habilidad acababa de celebrar inocentemente y con tanta sinceridad.

—Bueno, tatito. Ya que usted tiene tanta fe en la habilidad de José Manuel, yo voy a hacerle llamar para explicarle lo que necesito.

Esta respuesta fue pronunciada por María Luz con la resignación y la actitud del que no pudiendo pasar por otra cosa se somete al poder de lo inevitable. Y es que tras de esa respuesta se alzaba triunfante este pensamiento, que alguna vez le había cruzado ya por la mente en las lucubraciones de la siesta: "Si en este momento que estoy tendida sobre el lecho tuviera yo a la mano a José Manuel y fuera tan audaz que se atreviera... ¡Ni cómo defenderme!..."

Y José Manuel subió aquel día a las habitaciones de su ama, a ésas que tantas veces había contemplado desde lejos melancólicamente, como un santuario inaccesible, que sólo podía hollar a cambio de la vida.

Su entrada al oratorio, donde su ama se hallaba sentada dignamente, como una dogaresa, fue emocionante. Era la segunda vez que los dos se veían juntos, y el tiempo corrido entre ambas entrevistas le había parecido al uno tan largo, tan desesperante, que su término lo recibía como un presente insoñado. Y apenas si pudo saludar. Su turbación era tan visible que la misma Casilda, suspendiendo sus quehaceres, sonrió de verle así con satisfecho orgullo de nodriza, a la vez que decía, maligna y petulante:

—Habla bien, hombre, como pa que mi niña te entienda. Naides diría q'eres el José Manué de allá bajo. Pareses mismamente un guardacabayo enjaulao.

El tono represivo de la criada, aunque halagador para María Luz, hizo que ésta, recobrando sus fueros de ama y señora, la dijese, señalándole la puerta:

—No te puedes contener, Casilda. Tú siempre tomándote ciertas libertades delante de mí. Déjanos un rato solos.

Y volviéndose a José Manuel y violentándose para tutearle, pues rápidamente había intuído que el tratamiento contrario, en vez de separarlos, los uniría:

—Mi padre me ha celebrado mucho tus habilidades. Dice que sabes hacer maravillas con el cuero. ¿Cierto?

—Sólo hago cosas que no merecen la pena, señorita.

—Bueno; dejemos la modestia a un lado y vamos a lo que me interesa. Quiero un frontal como ese que está ahí, pero un poco mejor, por supuesto. Como de todos los maestros que he llamado ninguno se ha creído capaz de hacerlo, me he visto precisada a recurrir a ti, por indicación de mi padre. Lo que han encontrado más difícil de imitar esos maestros es el dorado. Yo he creído lo contrario, precisamente, y que el dibujo sería lo único pesado.

—Tiene usted razón, señorita. El dorado es lo de menos. Pero hay una dificultad y es la de la falta de herramientas para hacer el dibujo. Aquí nos las tenemos y ningún maestro talabartero seguramente ha de querer prestar las suyas. Es una gente envidiosa y egoísta, que no le gusta que otros hagan lo que ella.

—¿Y qué herramientas son esas tan indispensables?

—Las uñetas. Se necesitan dos o tres de distintos tamaños.

—¡Uy! Entonces hay que encargarlas y esperar. Para eso más valdría encargar el frontal a Lima.

—Como usted guste, señorita, aunque yo creo más conveniente hacerlo aquí. Las uñetas puedo hacerlas yo; para eso hay fragua y torno en el taller. Es cuestión de un par de días, y una vez hechas, el frontal es cosa de un mes.

—¿Tan pronto? Si así fuera no sabría cómo agradecértelo, José Manuel.

—Señorita María Luz, con servirla a usted me siento demasiado recompensado.

—¡Gracias, José Manuel!

—¿Puedo entonces tomar ya las medidas, señorita?

—Como usted..., digo como tú quieras José Manuel.

Y el involuntario equívoco en el tratamiento hizo ruborizarse a María Luz, rubor que pasó inadvertido por el esclavo, y que al verlo se le habría encendido el corazón en una llama más viva y más ardiente que la que arrebolaba las mejillas de la doncella.

Como el silencio, mientras el esclavo tomaba las medidas en el viejo frontal, resultaba embarazoso para ambos, especialmente para ella, preguntó:

—¿Y qué otras cosas sabes hacer, José Manuel?

El mozo interrumpió su ocupación y, volviéndose atentamente respondió, con reconcentrado orgullo:

—Todas las que me propongo hacer, señorita, y para las que bastan las manos.

—Entonces no son pocas. También sabrás de carpintería...

—Un poco, señorita. Y de herrería, ebanistería, curtiduría y zapatería. Si la señorita quisiera, le haría unas zapatillas para la casa o unos chapines para la calle, que harían hablar de sus pies lo menos un año.

María Luz se echó a reír de buena gana, escondiendo al mismo tiempo los pies, sobre los cuales se habían clavado los ojos del esclavo, como dos halcones sobre dos palomas.

—¿Y por qué habrían de hablar tanto de mis pies y no de tus zapatos?

—Porque así pasa siempre, señorita. Por bueno que sea el estuche siempre se habla más de la alhaja en que se guarda.

María Luz, admirada y agradecida de la delicadeza del cumplido, no pudo menos que pagarlo con una mirada, de intención indefinible, y arrastrada por su natural coquetería de mujer y de hermosa, una vez que José Manuel hubo terminado su operación, se resolvió a decirle, sacando a relucir un poco los emboscados pies.

—Me has despertado la curiosidad, José Manuel, y es natural que quiera cerciorarme de otra de tus habilidades. Acepto que me hagas las zapatillas, pero ha de ser después de que termines el frontal.

—Como usted mande, señorita, pero tengo que molestarla desde ahora.

—¿Molestarme?

—Sí, mi ama... —musitó José Manuel, arrastrado de repente por un extraño impulso de sumisión, que le hizo pronunciar por primera vez en su vida la palabra vil, que él creyó siempre indigna de la boca de un hombre, pero que en ese instante le decía todo lo que podía significar dirigida a una mujer.

—¿Y cuál va a ser la molestia?

—Tomarle la medida del pie. A no ser que usted prefiera que se la tome alguna de sus criadas. La Rita, por ejemplo. Con una ligera explicación que yo le hiciera la tomaría bien.

—¡Ah, eso era todo!...

María Luz vaciló. Era preciso entregarle sus pies al hombre que tan cogida por el pensamiento la tenía. Aquello era ya como el principio de la realidad de sus ensueños, el contacto, el choque que habría de prender quién sabe qué chispa de su carne. Una fiebre de pudor repentino le subió al rostro. Aquel acto trivial y repetido cien veces por ella en su vida, como el de poner los pies en las manos callosas y bastas del zapatero y que hasta entonces practicara indiferente, le pareció en ese instante algo nuevo, trascendental, que hizo protestar a su feminidad desde lo más hondo de su ser. ¡Poner uno de sus pies en las manos de José Manuel! Y para ello tendría que levantarle la pierna y descalzarla en un actitud tentadora y poco honesta. ¿Pero por qué no? ¿Por qué no dejar que éste le hiciera lo que la habían hecho tantos otros?

Y José Manuel, que parecía haber leído en el fondo de esta vacilación, la decidió, en vez de retraerla, con esta frase:

—La verdad, señorita, que tocarle a usted los pies es una profanación.

—¿Por qué? En todo caso ya me los han profanado bastante y no voy a negarte a tí lo que le he concedido a otros. Quítame el zapato y mide.

José Manuel, no supo qué hacer de pronto ante el divino mandato. Lo recibió como una gracia, como un don, que iba a marcar una época en su vida. De un golpe se vió elevado a una altura inaccesible y con el corazón embriagado de felicidad. Inconsciente, alelado, se puso a registrar los bolsillos del atigrado jubón, buscando en ellos algo que en otras circunstancias habría sabido que era demás buscar. Y la razón era muy clara: no siendo zapatero de oficio, no tenía por qué cargar la cinta de medir.

Ante tal perplejidad, que le sirviera a María Luz para apreciar el poder de su seducción y la adoración muda que en ese instante se le rendía, instante que ella habría querido prolongar indefinidamente, sintió un poco de amorosa piedad y quiso ponerle fin con esta frase, un tanto picaresca:

—¿Pero qué te buscas, José Manuel? ¿Crees tú que mi pie está en los bolsillos de tu jubón, cuando lo tienes delante, esperándote?

—Es que buscaba la medida, señorita. Pero ya que no la encuentro, me basta el pañuelo.

Y José Manuel, sacando del bolsillo el que tenía, se arrodilló delante de su ama, le empuñó el diminuto pie y comenzó a descalzarlo lentamente, con una habilidad impropia de manos masculinas, de manos de esclavo, pero explicable en un hombre acostumbrado a las suaves pulsaciones de la guitarra y al ejercicio de las artes manuales. Descalzado ya el pie, lo afianzó sobre uno de los muslos y se puso a medir. El contacto de la blanca y ceñidora media de seda, seguramente menos suave y menos blanca que la pierna que cubría; la irrefrenable jactancia del empeine, ahito de morbidez; el arco suave del talón; las yemecillas de los dedos, cuya sangre de rubí se transparentaba a través de la media; la discreta prominencia del tobillo y el arranque sugeridor de la pantorrilla, todo esto fue visto y palpado por el improvisado zapatero y desnudado con sus ojos en un acto, que más parecía de adoración que de humilde y mundano oficio.

José Manuel se levantó sudoroso y jadeante. A pesar de lo breve y grato de la operación, ésta le había quebrantado. Salía de ella como de un tormento: la carne estremecida y los ojos lacrimosos. Y también con la boca reseca y crispada por los estrujones de la voluptuosidad, como en una ansia de morder y masticar.

Al verle así María Luz, tuvo un relámpago de miedo. Aquel rostro oscuro y demudado le había dicho en un instante, con sólo la taquigrafía de los ojos y las actitudes del cuerpo, acicateado por el deseo y la impotencia, todo lo que no podría decirle jamás nadie con la boca, y todo lo que podría esperar del hombre que tenía delante, si en una hora de flaqueza, olvidando su dignidad de ama y de mujer, se le antojara franquearle las puertas del amor, cerradas hasta hoy para él. Pero consciente de su poder, de lo que una sola palabra suya podía pesar en el corazón del hombre que acababa de ver a sus plantas, rendidamente esclavo de cuerpo y alma, disimuló su miedo y sonriendo, con sonrisa finamente intencionada y jovial, exclamó:

—Tienes un modo raro de medir el pie, José Manuel. Has hecho tiras el pañuelo. Buen negocio ibas a hacer tomando así la medida cada vez que se te olvidara o perdiera la cinta.

—Es que lo que acabo de hacer con usted, mi ama, no lo haría jamás con ninguna persona, así fuera mujer. Yo no soy zapatero sino para usted y para mí.

—Bueno está para dicho, José Manuel. De todos modos, te lo agradezco por tu sinceridad.

—Lo que yo digo, señorita, me sale siempre de adentro. No sé mentir ni fingir.

—Es una cualidad muy rara en un...

Iba a decir *esclavo*, pero se contuvo a tiempo y su pensamiento, raudo y sumiso, sustituyó el vocablo con el único que no podía agraviar, y concluyó:

—...hombre.

Pero José Manuel, raudo también para leer en la fugaz reticencia, agregó:

—...esclavo y de mi color. ¿Verdad, señorita?

—No; no quise decir eso. Tienes muy vivo el pensamiento, José Manuel.

—Como lo tiene todo el que vive humillado y despreciado.

—Eso no lo puedes decir tú de nosotros, José Manuel. Aquí todos te distinguen y te aprecian.

—¿Quiénes son todos, señorita?

—Mi padre, yo y... los demás

—¿Usted? ¿Ha dicho usted? Me basta con eso. ¡Gracias, niña María Luz!

—Y mi padre también. Mi padre, que no se cansa de elogiar tus cualidades cada vez que habla de ti. Y como ha visto el interés que tienes por todo lo suyo sé que te considera como un miembro de familia. ¿Quieres más todavía?

—¡Ah, señorita María Luz, cuánto me alivian y consuelan sus palabras! Veo que no soy tan infeliz. Pero no me pregunte si quiero más todavía. Usted sabe que no sólo de estimación vive el hombre. Al perro también se les estima, y un esclavo y un perro son la misma cosa para el amo. Uno y otro están sujetos al mismo capricho. ¿Y habrá nada más horrible que el capricho del amo, que hoy pone una cosa en este lugar y mañana la rompe o la quita para ponerla en otro? ¿No tendrá el señor don Juan el capricho de romperme mañana, cuando ya no me estime, o reemplazarme con un esclavo mejor?

—Repito que tienes el pensamiento muy vivo, José Manuel —respondió María Luz, visiblemente emocionada—. Mi padre es un hombre agradecido y justo y no hombre de caprichos, como tú te lo imaginas. El sabrá hacerte justicia a su tiempo, y yo cuidaré de que te la haga cumplida. ¿O crees tú que yo también soy caprichosa? Poco te ha faltado para decírmelo.

José Manuel fijó en su ama una mirada penetrante, como queriendo descubrir toda la intención de la pregunta.

—Caprichos de esa clase en usted nó. Las mujeres, mi ama, son siempre más compasivas, más misericordiosas que nosotros.

—¿Y de cuáles caprichos me crees tú capaz ?

—Para qué decírselo, señorita. Podría agraviarla sin querer.

—No, no; te autorizo para que lo digas.

—Los caprichos de la mujer son de otra clase. Son caprichos del corazón. Ahí sí que no saben tener misericordia.

—¿Tienes alguna experiencia de ello? ¿No crees tú que eso puede ser, en medio de todo, una suerte para los hombres?

Y María Luz, aventurando un pensamiento atrevido, añadió:

—Por lo mismo que nosotras somos tan caprichosas en las cosas del corazón, el capricho puede llevarnos muy lejos.

Y rápidamente, como arrepentida de la audacia de la frase:

—Verdad que cuando el honor, el nombre y la nobleza están de por medio toda mujer sabe refrenar su corazón y reírse de él.

—Cierto, señorita. ¿Pero no le parece a usted, y perdone mi pregunta, que eso pasa cuando el amor no puede nada o puede poco?

—¿Qué podría yo contestar a eso, José Manuel? Mi corazón —y esto lo dijo la joven con la voz velada por su inocente mentira— no me ha dicho aún lo que sería capaz de hacer, si llegara a interesarse por algún hombre. Pero de lo que sí estoy segura es de que sabría luchar y dominarle.

—Lo creo, señorita, porque usted tendría, como ayuda el orgullo. Y el orgullo puede mucho. Es él, aunque parezca contradicción, el que me ha hecho soportar a mí la vida de esclavo que llevo. El orgullo es el que me hace vencer a mis compañeros de trabajo; el que en las noches me hace templar la guitarra para hacerla decir cosas que nadie sabe hacérselas decir como yo; el que ha hecho que mi corazón fije sus ojos no abajo sino arriba, donde están las estrellas, y el que me hace esperar en que he de conseguir la libertad por mi propio esfuerzo y no por imploración o gracia.

—Y la conseguirás, José Manuel. Pero no va a ser por voluntad tuya, sino mía. Es mi deseo, mi capricho, si así quieres llamarle. Y pronto, para que puedas andar libre y feliz por el mundo. Así me lo ha prometido mi padre.

—¡Gracias, señorita María Luz! Entonces ya no veré a los otros hombres con envidia y odio, que tanto daño hace al corazón. Cuando llegue ese día no tendré palabras para bendecirla, y la única manera de agradecerla será seguir siendo esclavo al lado suyo.

—Como quieras, José Manuel. Ya sabes lo que se te aprecia en esta casa.

Y después de un breve silencio y señalándole al esclavo la puerta con un señoril movimiento de cabeza:

—Ahora, a trabajar y cumplir lo prometido.

—Sí, mi ama, para que sea digno de su grandeza y de este humilde siervo.

Y luego aquella otra frase, deslizaba tan señoril y generosamente, que venía a ser como el complemento de la otra, casi una confesión, la única que podía hacerle a su ama un esclavo digno: "Cuando me llegue ese día no tendré palabras para bendecirla, y mi única manera de agradecérselo será seguir siendo esclavo al lado suyo". ¿Qué más podía ofrecerle este hombre que su esclavitud voluntaria? ¿Y qué hombre podría ofrecerle más? ¿Quizá fortuna, honores, gloria...?

Y María Luz se respondió a sí misma: "Todo esto es lo que llaman los buenos Padres de la Iglesia vanidad, miseria, lujo, cosas que se disuelven y se las lleva el viento. Así me lo han enseñado ellos y mi padre también, que alguna autoridad tiene en las cosas de la vida".

Y habría seguido María Luz soliloquiando si la intempestiva aparición de su nodriza no la hubiese vuelto a la realidad. Dejó su negligente postura y encaminándose al balcón comenzó a distraerse con el panorama del campo, fatigado de médanos y sol. La reverberación de la arena flagelaba los ojos, y para defenderse los suyos, María Luz se improvisó una visera con la diestra.

Un gran silencio flotaba sobre la verde y gran extensión. Yerbasantos, chilcos, algarrobos, faiques, zapotes, cerezos silvestres, lipes y médanos parecían sumidos en la modorra de la hora estival. Sólo las iguanas, taimadas y lentas, de lomo pizarroso y vientre amarillento, y las lagartijas de piel tornasolada, cual damascos de seda de verdes y azules exaltados, se arrastraban epilécticamente, irguiendo la romboide cabeza, lengüeteando y persiguiendo con ensañamiento feroz, entre las plantas rastreras, el alimento codiciado. Apenas si alguna soña, de esponjado buche, chisqueaba su cromático gorjeo.

Al sur, uno que otro humo, brotado entre el oleaje de los techos de barro y embotijados caballetes de la lejana ciudad, rompía con el monótono azul del fondo. Y allá, hacia el oeste, otro oleaje, menos gris, pero más fiero y más vasto. Era la arena, con su instabilidad, sus sorpresas, sus reverberaciones, su sequía, sus asechanzas y espejismos; con sus médanos fofos y de rizaduras semicirculares, listos para asaltar, envolver y ahogar todo lo que cayera bajo su brazo constrictor. La arena, extendiendo su manto sobre todo, nivelándolo, esterilizando, con la fría obstinación de la sal, la fecundidad de las buenas tierras, y poniendo entre éstas y la impotencia del hombre un sudario de muerte.

Y nada más imponente que este mar de piedra en polvo en su eterno avance atáxico y rastrero. Salido de los abismos del océano, a donde le arroja el discurrir milenario de los ríos, se diría que, al salir de ellos, vuelve ansioso de tierra y movimiento. Y este mar, de tempestades tan hoscas y movidas como las del mar de donde sale, es el fondo sobre el cual se extiende el monótono paisaje piurano.

En la casona el cuadro era distinto. Por encima de María Luz, las golondrinas revoloteaban en cerradas espirales, que deshacían de repente, para lanzarse después, cual diminutas ballestes, en pos de algo invisible, hasta cogerlo con el pico y devorarlo entre volteretas y gorjeos. Otras, desde sus hornitos de barro, parecían fisgonear lo que pasaba fuera, hartas de curiosidad e inquietud, bullidoras y chirriantes, como empeñadas en llamarle la atención a aquella otra golondrina solitaria, media compañera suya, que, a diario y a distintas horas, acostumbraba salir a contemplar melancólicamente el espacio.

Y tánto se preguntaron y dijeron de un nido a otro, que al fin María Luz alzó los ojos y se puso a mirarlas por centésima vez. Pero en ésta, su mirar fue otro. Al ver en la mayoría de las redondas bocas de los hornillos dos cabecitas juntas, tocadas monjilmente y asomadas hasta el pecho, su imaginación comenzó de repente a fantasear y edificar, como en las horas de la siesta, su torre de ensueños. Aquellas cabecitas juntas, monjilmente tocadas, le despertaron en el corazón una extraña ternura, jamás sentida, que, insensiblemente, fue humedeciéndole los ojos, hasta hacerle brotar del fondo de su ser una sensación nueva y oír por primera vez la voz de un nuevo instinto. Y ese instinto parecía decirle: "¡Qué dulce debe ser amar así! ¡Cuánta dicha debe encerrarse en dos cabezas juntas! Y no sólo unirse por el placer de unirse, sino por la noble aspiración de propagarse, de sentir en torno nuestro el aliento de otras vidas y la alegría de otros amores y otras ternuras...!"

Y del enternecimiento pasó a las frías interrogaciones sobre los enlaces felices. "¿Por qué tantos matrimonios desgraciados? ¿Por qué tantos hogares deshechos? ¿Por qué ese odioso sistema de la imposición paternal en casi todos los casos, en un acto en que el instinto sabe siempre más que la experiencia? ¿Por qué esas uniones sin amor, frías, secas, ceremoniosas, que en el tálamo debían ser un sacrificio y en la vida diaria una tortura? ¡Ah, qué distinto en estas uniones simbólicas que tenía a la vista! Libertad de escogerse; libertad de juntarse; libertad de vivir cada pareja a su modo. Y todo por obra del instinto, sin manos sabias, creídas con derecho a intervenir y guiar, sino..."

—Niña —exclamó la vieja nodriza desde el centro de la habitación, mortificada por el largo silencio de su ama, y picada por la curiosidad de saber a qué había subido José Manuel—; por lo visto vas a convertí la capilla en una tacita e plata.

—¡Quién sabe! —contestó María Luz, sin dignarse siquiera volver y con la mirada fija en los nidos del alero.

—Y si le has encomendao algo a José Manué te va a salí a pedí de boca, que pareso tiene unas mano y una habelidá...

—¿Sí? Me alegro.

La Casilda carraspeó para disimular el disgusto que le causaba la displicencia con que le estaba respondiendo su ama, pero, dominada por la curiosidad, mientras sacudía y arreglaba algunas cosas, continuó:

—El único temó que hay, si es que vos lias encomendao algo, es que el pardo anda ora muy distraido, y distraido no puede trabajá bien. Así me ha pasado a mí, que todos, hija, por más rangalidos que siamos, tenemos siempre una cosita que se nos atragante y nos escarbajea a l'ora del gusto.

María Luz se volvió al fin y fijó en la negra una mirada inquisidora. Se diría que había sido tocada en lo más vivo.

—¿Y qué es lo que puede tener distraído a José Manuel?

—Con seguridá no lo puedo desí, m'ijita. El hombre es reservao como un toro matrero, pero casi casi me afiguro yo que son penitas de amor las que lo tienen volao. Y estamos algunos en el golpe. Lo que no podemos descubrí es quién es la traida que lo tiene así atortolao.

—¡Ah, esas teníamos! ¿Y quién te parece a ti?

—Pa mí la cosa no está muy turbia: la Rita.

De buena gana María Luz habría soltado el trapo a reír ante la cándida perspicacia de su nodriza, pero temerosa de espantarle su ingenuidad y su afán de chismorreo, se contuvo.

—¡Ajá! Y la Rita, por supuesto, le corresponde.

—Puere que sí, puere que no. Vaya usté a averiguá lo que piensa una mosa que parece que con los ojo dise una cosa y con la boca otra. Lo que yo sé es que cuando ella baja al anochesé es pa dir a meterse al cuarto e ña Martina. Y pa mí que es a oír tocá a José Manué. ¡Y lo contenta que güelve cuando güelve de ai! ¡Y cómo repite los tristes que leá oido!

—¿Pero no sabes tú que la Rita está de novia?

—¡Vaya que sí, lindura! ¿Y eso qué? La mujé que quiere a do y e prudente y avertía..., como dise la copla. ...

—Bueno. Supongamos que ella va por lo que tú dices, que, desde luego, no tiene nada de malo, pero José Manuel... ¿Has visto tú algo en José Manuel?

—Ver como ver no, niña. Mentiría si dijera que sí. Pero pa mí que él lo malisea. Y como a naides le amarga un dulse, y el cántaro de tanto dir al agua se rompe... Pues ¿pa qué más? Y si en la primera ¡no me toques!, en la segunda, ni quien te vido.

—¿Lo crees tú?

—¡Cuando yo te lo digo! Y pareso tiene una apañadora que ni mandada hasé. Porque a ña Martina le gusta apañá estas cosa, y nada de imposible tiene que cualquier nochesita de estas, de acuerdo con l'otro, se haga la desentendía y se pajaree dejándolos solitos.

El corazón de María Luz latió violentamente. La verdad era que las deducciones de la negra estaban dentro de lo humano y posible, pues si bien las escapadas de la Rita al cuarto de la enfermera no eran frecuentes y las que hacía tenían su explicación, esto no era un motivo para que de repente no prendiera algo entre ambos mozos. ¿Acaso el noviazgo podría ser un obstáculo para el otro? ¿Su nombre y su posesión lo habían sido para ella?

—No dejas de tener un poco de razón, Casilda. Pero ya tomaré yo mis medidas. La Rita tiene que irse pronto. Se irá libre y a casarse.

—Y muerto el ahijao se acabó el compadrasgo. ¡Lástima no má que ya no va a tené José Manué a quien tocale la guitarra! ¡Ah, tan lindo que toca! ¡Cómo la hace gemí y llorá! ¿Y cuándo canta...! ¡Mi señorita del Carmen, que se le redite a uno las entretela el corazón!

—¡Calla!, ¡calla! No seas exagerada, mujer. Cuando oyen ustedes a un hombre cantar cualquier cosa ya no saben qué hacerse y son capaces de irse detrás como borregas.

—¿Pa qué l'hecho a una Dios tan sensible, entonces? La verdad, m'ija, que cuando yo oigo a ese hombre me dan unas ganitas de suspirar, y de querer, y de bailar que me güelven loca. Y es que una guitarra bien rasgá puere mucho. Parese, hijita, que se nos mete po'el espinaso una cosa muy filúa y fría, y nos parte desde el cogote hasta abajo, y nos echa por tuel cuerpo culebrita. ¡Cómo siento que se vaya la muchacha! Porque entonse ¿a quién le va cantá?

María Luz vaciló un momento, midiendo todo el alcance de lo que iba a decir, y, resuelta a descubrir su secreto, exclamó, con voz desfalleciente:

—¡A mí, Casilda, a mí! Es a mí a quien le canta ese hombre todas las noches.

La criada abrió los ojos y la boca desmesuradamente, sin saber qué decir ante tan súbita e increíble confesión.

—¿Te ha espantado mi secreto? Pues es la verdad, Casilda.

—¡Niña, por Dios!... —estalló la negra, juntando las manos y elevando al techo los aborregados ojos—. ¡Conque era a vos a quien ese condenao se atreviro cantale esas cosas! ¡Qué bruto negro! ¡Cómo no lo había maliciao pa habele quebrao su guitarra en la cabeza! ¡Qué lisura!

—¿Pero cómo ibas a hacer eso, Casilda, cuando una guitarra bien tocada puede mucho; si cuando oyes tocar a ese hombre sientes unas ganas de suspirar y de querer como acabas de decir? No, no habrías hecho eso, porque él no es el condenado. La condenada soy yo, Casilda; yo, que, habiendo advertido desde el primer momento que era a mí a quien le cantaba José Manuel, no quise hacerlo callar para siempre y con sólo habérselo mandado, y preferí disimular. ¿Y sabes por qué? Porque a mí también me gusta oírle; porque, como dices tú, hace suspirar y querer cuando ese hombre toca y canta. Y me habría parecido un crimen prohibirle tocar. Sobre todo, que lo que él canta no me ofende. Y si lo que él dice es para mí, lo dice tan discretamente que ni tú, que eres tan ladina, lo has podido adivinar.

—¡Ya lo creo! Y no por sonsera, porsupuestamente, sino porque eso no podía cabé en mi cabesa. ¡Cómo suponé, hija, que ese mulato se atreviera a poné los ojos tan alto! ¡Jesú!, si con pensalo nomá me se carapela e cuerpo.

—Precisamente por eso, porque estoy muy alta es que se ha fijado en mí. Y por ser yo el único sol que alumbra a todos esos pobres que pasan su vida allá dentro sin saber lo que es el amor de una mujer. Y, naturalmente, tienen que fijarse y pensar en mí, aunque no lo quieran. ¿Te imaginas que habían de pensar en ti o en la Martina, o en las mujeres de fuera, a quienes no ven sino de tarde en tarde?

—No, hija, no; en nosotra no. Semos pura gualdra-pa, pero la Rita...

—Pero la Rita no es un imposible, y en las condicio-nes de José Manuel lo que un hombre desea siempre es un imposible. ¿Para qué desear y penar por lo que se tiene al alcance de la mano?

—¡No sé yo! Pero él debía respetarte y no atreverse a desite, manque lo iga en salves, como a la vigen, lo que siente por vos. ¡Guá! ¿Dónde iríamos a pará si todos jueran hasé lo mesmo?

—El respeto tiene su límite, Casilda, y mientras ese límite no se traspasa no hay agravio. Además, ¿qué agra-vio puede haber en que un esclavo se fije los ojos en su ama? ¿No los fijan los amos en sus esclavas? José Ma-nuel mismo, según se murmura, ¿no es hijo de un señor que tuvo el capricho de fijarse en una esclava suya? ¿En-tonces por qué este hijo no habría de sentir el deseo de subir, como su padre sintió el de bajar? ¿Me entiendes?

—¿Y si mañana, m'hija, alentao por tu callá se atre-viese a propasase... a desite, ma claro, su secreto...?

—Se lo perdonaría, como el confesor perdona al pe-nitente. ¿Qué habría de decirme? ¿Qué le gusto, que me ama? Pues nada nuevo me diría porque ya lo sé. Y si sabiéndolo no me he irritado, diciéndomelo él ¿por qué habría de irritarme? Lo que no le permitiría es que alar-deara de él, que lo pregonara, porque esto, además de no conducir a buen fin, me parecería una muestra de vani-dad. Y yo aborrezco a los indiscretos y vanidosos.

—No, como reservao lues. Ni quie le saqué nara. ¡Pero el señó, el señó, niñita! Señó don Juan no e ciego, ni sordo y las coge en el aire.

—Sigues siendo tonta, Casilda. Mi padre tiene la ca-beza hecha de tal modo que en ella no pueden caber ja-más las pretensiones de José Manuel.

—¿Y cómo han cabío en la tuya, siendo hija del señó?

—Porque yo soy mujer, Casilda, y las mujeres tene-mos la cabeza en el corazón. Y como con el corazón vemos y adivinamos todo, con él también todo castigamos y perdonamos. ¿Qué va a comprender mi padre jamás las intenciones de José Manuel? Creerá que eso es lo que cantan todos los guitarristas. "¡Bah, habrá dicho él, lo mismo he cantado yo de mozo!"

—Dios quiera que seya así, niñita; que el diablo no meta su rabo y lo eche todo a perdé.

—Y lo va a meter, lo va a meter —murmuró, sonriendo tristemente, María Luz—. Me lo está diciendo el corazón.

—¡Calla la boca, niña! ¡Ni e juego diga esa cosa! Me asusta sólo e pensalo.

—No es broma, mama Casilda. Es que yo también estoy interesada por ese hombre. Y cuando yo me intereso por una cosa ni padres descalzos que me prediquen.

—¡Mentira! ¡Esa sí que e mentira, niña e mi alma! —clamó la criada, cayendo de rodillas y cubriéndose la cara con las manos.—. ¡Nunca! ¡Avemaría Purísima! ¡Qué el maligno se te ha entrao!

—Algo de eso. Y lo peor es que me siento sin fuerzas para retroceder.

—¿Deverita? No lo repitas, niña Lo que sufriría en el cielo niña Carmen si llegase a pasá algo.

—Diría —repuso María Luz, conmovida y con los ojos humedecidos por repentinas lágrimas— que tuve corazón como ella. ¿No fué ella todo corazón? ¿No murió ella adorando y perdonando a mi padre? ¿No fuiste tú testigo de sus penas? ¡Te acuerdas cuando yo, cansada de jugar sola en mi casa de San Francisco, con mis muñecas, al echarme sobre las faldas de mi madre y preguntarle por qué lloraba tanto, me daba siempre esta respuesta: "¡Porque estoy muy sola, hijita!" ¿Y qué era lo que me quería decir con eso, estando yo allí y, conmigo, toda su parentela y servidumbre? Que su corazón era el que estaba solo, ¿verdad? Así ha estado el mío siempre, mama. Sola en la casa de mi madre, porque ella, entregada a su pena y con el pensamiento de volver a ver a mi padre al lado suyo, apenas si tuvo tiempo de pensar en mí. Sola allá en Lima, entre unas parientas presumidas y ridículas, que resumían por todo el cuerpo envidia y egoísmo. Y sola aquí, en esta especie de cárcel, donde el único que podría darme un poco de amor y ternura sólo sabe darme pan y comodidad. ¡Como a sus esclavos! ¿Y qué he de hacer aquí, sola, con mi corazón, sino tratar de llenarlo con el primer amor que se me ofrece? Y este amor es el de José Manuel. No te asombres; de José Manuel he dicho. Y si no fuera por ciertas circunstancias, lo gritaría. El amor de José Manuel es el amor de un gran corazón, de un corazón capaz de todo por mí. Por mí estoy segura que José Manuel mataría y se dejaría matar. Se lo he leído en los ojos, y es así como me gustan a mí los hombres.

—Hay tantos señores allá abajo, que harían lo mismo por vos, que te darían el oro y el moro sólo con pedilo.

—¿Quién podría darle a mi corazón más que José Manuel? ¿Los señores que tú dices? ¿Y qué podrían darme? Honores, títulos, fortuna. Ya lo sé. ¿Y si quien me los da es un tirano o un imbécil; un celoso o un calavera? No, mama Casilda; a esos hombres les conozco ya por mis tíos de Lima y por ti. Tú misma te has encargado de decirme hace poco cuál es la vida de los señores de esta tierra: beber, jugar y enamorar; derrochar y ostentar afuera, despotizar y mezquinar adentro. Y yo no soy ni quiero ser como mi madre.

—Pero al fin, niña, vas a tené que casarte. Cualquier diíta de estos se mete por la puerta una calesa con un señó muy tieso y perifollao a pedí pa su niño esa manito de asucena, y entonse ¿qué irás vos al señó?

—¡Bah! Le diré lo que estoy pensando ahora: que no estoy para noviazgos todavía. Yo quiero disponer de mí como me parezca; darle mi corazón al que yo elija y no a quien me elija a mí. Y si mi corazón me dice que debo darme en cuerpo y alma a quien yo elija, pues me daré aunque me pierda.

—¡Misericordia! ¿Y dónde aprendió, m'ijita, a desí tales cosa? ¡Ah, ese pardo el demonio t'embrujao! Por eso anda metío en no sé qué conchabos con la Martina. Juraría que te ha sembrao. De no, cómo ti'bas a rebajá tanto, niña.

—¡No hables así, Casilda! Tú no entiendes esta clase de querer mío.

—Te ha embrujao, hija; yo sé lo que igo.

—¡Tonta y réquetetonta! El embrujado es él. Yo soy la que lo ha sembrado, como dices tú, en mi corazón. ¿Cuándo? No te lo podría decir. Tal vez si fué esa mañana que recorrí la fábrica con él y lo vi vestido con aquella piel de tigre. Me pareció tan hermoso y gentil, que creo que en ese instante lo elegí para siempre. Y desde ese instante comenzó mi secreto hasta para él, que ya no quiero que lo sea para ti. Tú no sabes, mi buena vieja, lo que vengo sufriendo yo, aquí solita, desde hace dos meses. Vivo en continua lucha conmigo misma, pero ya no puedo más. Me ha vencido ese hombre; él es mi dueño y mi señor. ¿Has oído, Casilda?

—¡T'embrujao, t'embrujao! ¡Si lo supiera!...

—¡Ah!, si él lo supiera ¿de qué no sería capaz? Con una palabra mía...

—Pero no se la irás vos. El secreto entre las dos y narie má. Tu negra vieja lo guardará bien guardadito. Manque me rajasen no lo diría. ¿Pa qué te dí yo de mamar sino pa quererte como un'hija y mori por vos si juera presiso?

—¡Quién sabe, mi buena Casilda, quién sabe! El amor es muy traidor. Cualquier día me olvido de fingir y mis ojos van a decir lo que yo no quiero. Y si supieras las cosas medio diabólicas y medio imposibles que se me ocurren, de las que yo misma me asusto. De repente te digo: "Anda, Casilda, y díle a José Manuel que esta noche lo espero".

—¡Por María Santísima, que esas son tentaciones del maligno! ¡Cómo te se puere ocurrí que niña honesta haga llamá a un hombre a su cuarto, y e noche!

—Eso digo yo. ¿Cómo he podido pensar a veces semejante cosa? Y he ido hasta hacerme estas preguntas: "Cuando un hombre alcanza un favor de una mujer ¿cómo lo alcanza? ¿Por qué él se lo toma o porque ella se lo consiente? Y cuando un hombre acude a una cita ¿cómo acude, si no ha sido citado antes? Y las caídas de todas las mujeres que caen ¿por qué son? ¿Por qué las sorprenden y las hacen caer o porque se dejan caer ellas mismas?" A ver tú, mi vieja, que alguna experiencia te habrán dado los años, contéstame a todo esto.

—Qué voy yo a sabé, niña, de esa guaragua. Yo sólo sé que el hombre propone y la mujer dispone. Que la carne puere estar toa la vida en el garabato si no se tienta ar gato.

—Así es, así es. ¿Pero no crees tú que hay algo que mueve a la carne contra su voluntad?

—Sí, el demonio e la tentación, como disen los padres en el púlpito. Manque a mí me parese que una debe siempre esperá que le propongan y no proponé, que e cosa de otra laya.

—¿Y cuándo a una no se le puede proponer porque hay imposibilidad de proponérselo...? ¿Habrá que esperar entonces hasta la consumación de los siglos?

La Casilda se rascó la cabeza, un poco acoquinada por la argumentación de María Luz, y batiéndose en retirada, respondió:

—Pareso están los ojo, m'ijita. Pero mandá llamá de sopetón, como un tiro de arcabú a un hombre...

—¡Ah, entonces no es con la boca con la que una debe decirle al elegido quiero esto, sino con los ojos! Pero para decirle: "ven, sube", es preciso que nos pregunten antes: ¿puedo subir? ¿Y crees tú que José Manuel se atrevería a preguntarme jamás tal cosa?

—La verdá, mi Lusesita, que no sé qué desí. Ere tan polvorita y tan bien hablá que todo lo que quisiera desite se me trabuca. Manque, dempués de todo lo dicho, nu hay que apurase. Porque lo de la llamada a José Manué no es ma que una figuración.

—Por ahora sí. De mañana no te respondo.

—¡Que digas vos esas cosa!

—Por eso te he dicho que se me ocurren a veces cosas muy diabólicas. Y lo diabólico no está precisamente en que José Manuel suba, sino en que subiendo por mí crea subir por otra.

—¡Carrampempe! No te entiendo. Si no me abres la tutuma...

—Te lo explicaré; que él crea que quien lo haga subir sea, por ejemplo, la Rita.

—¿La Rita? Pero si la Rita está encalaverná con su godo. ¿Cómo va a consentir?

—Pues que no fuera ella si no tú la que por orden mía preparara la cita con mucho misterio. Habría que esperar una noche oscura... Luego la Rita se iría a dormir a tu cuarto, con cualquier pretexto... y yo sería la que lo esperase en el cuarto de Rita.

—No, no; bromeas, niña. ¿Y qu'ibas a hasé vos allí con ese hombre? Un granito e maí pa semejante gallo navajero. Sólo e pensalo me tirito y m'entran uno sudore...

—No seas aspaventera, mujer, que todo lo que te he dicho no es más que una gana de bromear mía.

—Ya lo desía yo. Nó, si no podia sé. Eso no me cabía en la moyera. Que una niña tan linda como vos, que parese de oro y plata, se juese a fijá en un *burrufao* e chocolate, habiendo tanto señore por ahí que la servirían e rodías.

—No, Casilda; lo de haber fijado mis ojos en el *burrufao,* como le llamas tú, es verdad, tan verdad como estar aquí tú y yo hablando. Lo demás... lo demás lo dirá el tiempo.

Y María Luz, enigmática, volvió a su mirador, quien sabe si a distraerse otra vez en la contemplación del ancho campo que venía a morir delante de la casona, o a soliloquiar sobre su amorosa e imposible locura.

XI

PROMESAS CUMPLIDAS

A las cuatro semanas justas el trabajo que se le encomendara a José Manuel y el que, por su parte, se encomendó él mismo estaban terminados. Había puesto en ellos toda su habilidad, inventiva e inteligencia. En su híbrido cerebro había prevalecido la célula más civilizada. El simbólico azul de su savia ibérica había comunicado mayor fuerza a su inspiración que el rojo de su sangre africana. Del esfuerzo de este consorcio el frontal había resultado un prodigio de gracia y delicadeza. Y no se sabía qué admirar más, si el arte en el desarrollo de los motivos o la paciencia empleada en la prolijidad del dibujo. Por encima de la obra, como un hálito, con una suavidad de garra de plantígrado, se adivinaba el paso de una mano firme, segura, audaz, ávida de complacer, de asombrar, de acariciar, de seducir. El alma guiadora de esa mano sabía, tal vez por intuición, que para darse a entender, para poder decir todo lo que en esas horas de paciencia sentía y pensaba, sólo un lenguaje era posible: el que sus manos podían expresar, el gráfico-simbólico. Condenado a callar eternamente, porque al hablar la befa o la ironía le habrían hecho enmudecer, abrumado de dolor y vergüenza, era con sus manos con las que debía expresar lo que no podía decir. ¡Y cuántas cosas dichas en esa simbólica declaración, hecha con desgarros de desesperanza, anhelos de sacrificio y tal vez con lágrimas de impotencia y rebeldía!

Las flores y los pájaros, en enlace febril —enlace de selva tropical— decían, con sus gráciles actitudes los unos y con sus cálices pomposos las otras, poemas de

amor y voluptuosidad. Y en torno a pájaros y flores, como una mística cadena, imágenes de santos arrodillados,
tendidos, de pie, en cruz; encanijados por la fiebre del
ascetismo, por el sádico goce de la torturación, por la
castración espiritual de la continencia, por la sed de la
suprema verdad, por la angustia de los pecados propios
y ajenos... Y todos ellos macilentos, contritos, exhaus-
tos, implorantes. Bajo el brillo espejeante de la plata y
el oro, toda esa procesión de atormentadas imágenes parecía trasuntar la que el artista habría seguramente visto cruzar muchas veces por su ardiente e indisciplinada
imaginación, allá en sus horas de ensoñaciones solita-
rias.

Aquella obra iba a hablar por él; lo presentía, lo adivinaba. La guitarra le había enseñado a observar y psi-
cologizar. Por la guitarra supo en sus días tangarareños
del poder fascinante y dominador de la música; lo que
aquel instrumento hacía vibrar y suspirar a las mujeres; lo que podía decirles con él; sin que la audacia de las
palabras las ofendiera; y cómo su mágico poder desha-
cía el desdén y ablandaba la dureza de los corazones, en-
terneciendo a los más fieros y haciendo unirse, en que-
mante beso, a la boca más irónica e insultadora. Y si la
guitarra sabía hablar así ¿por qué otros instrumentos,
como la uñeta y el buril, no habían de hablar también
por medio de su gráfica expresión? La intuición decíale
que en el mundo todo hablaba; que toda cosa tenía su
lenguaje; que la única dificultad estaba en saberlo expresar y entender. Y comprendía también que en el hombre
había algo más que la boca para hablar; que todo hablaba
en él: sus ojos, su pecho, sus manos... Y por compren-
derlo así José Manuel, al hacer que sus manos en esta
vez hablaran, puso en ellas su inteligencia y su corazón.

—¿Y las zapatillas? En éstas, si el trabajo no fué tan
artístico, fué más simbólico, más delicado, más personal y sincero. Su corazón había quedado ahí, entre los
arabescos del bordado, traspasado y sangrante en cada
una de ellas por la áurea flecha de un Cupido, maligno y
mofletudo. ¿De dónde había sacado José Manuel la ale-

goría? ¿De qué cuadro, de qué libro, viviendo como vivía en un pobre mundo de miseria y orfandad intelectual? Posiblemente de su ancestro. O de alguna reminiscencia de sus lecturas juveniles, cuando ilusionado por el espejismo de la manumisión, allá en Tangarará, devoraba, entre las fruiciones del ocio, la variada y escogida biblioteca de su señor. Y esos corazones estaban ahí, no sólo como finas expresiones de amor y rendimiento, sino como emblema de una trágica realidad: la de ser ese el sitio del corazón de un esclavo.

María Luz recibió aquellos objetos, tan impacientemente esperados, con visible alborozo. El frontal la desconcertó y la asombró; tuvo como un vértigo de maravilla. Su acervo místico se despertó, y toda aquella mezcla de piedad, superstición e idolatría, acumulada en su alma por la religiosidad de cien generaciones, estalló en un hosanna triunfal. Y apenas si pudo decir: "¡Qué lindo! ¡Qué lindo!" Era cuanto podía expresar el filisteísmo de una mujer enamorada, pero inteligente, ante la fuerza avasalladora de un arte incomprendido.

Repuesta de su asombro, volvió los ojos a las diminutas zapatillas, dos estuches realmente primorosos, que María Luz contempló con delectación, no ya de filistea, sino de mujer entendida en las cosas de la aguja y árbitra intuitiva de elegancias. Rápidamente cogió el símbolo. Muy claro estaba en aquel par de corazones, que, en verdad, no eran dos sino uno. Y halagada por lo que con él había querido decirle el artífice, lo aplaudió con una sonrisa y lo agradeció con sendos besos de unciosa y desbordante ternura.

"¡Pobre José Manuel! —pensó—. Te contentas con decirme así lo que yo quisiera oír de tus labios. ¡Y qué bien sabes hablar! ¡Qué bien sabes decir lo que yo únicamente debo comprender! ¿Para qué palabras, que se llevaría el viento, ni billetes, que habría que romper y quemar después, si tú con tus manos sabes expresar el amor y hacerte entender de la que amas? Sí, ya sé lo que has querido decirme: que me besas los pies con tu corazón; que estás muy abajo y yo muy arriba. Y algo más: que tu corazón sangra, herido por la flecha de un amor que no ve. Pero no es así. Te has equivocado en esto, José Manuel. Mi amor tiene ojos y sabe donde los tiene puestos. Y sabe también que si a él se le antoja tú subirás hasta donde él te lo mande". Y María Luz sintió que su alma se abrasaba en una llama de piedad para luego abatirse ante la muda confesión hecha por el esclavo.

Y habría permanecido en este estado indefinidamente, si no hubiera venido a sacarla de él la Rita, la cual, con dos hermosos ramos de flores, se presentó diciendo, alborozada:

—Este, niña Luz, pa nuestra señora del Carmen; y este otro pa usté, pa que escoja dél la flor que más le guste y se la ponga esta noche, que van a venir muchos señores.

María Luz se encogió de hombros y sonrió tristemente.

—¿Para qué? No tengo interés en agradar a nadie. Los contertulios de mi padre están buenos para otra clase de mujeres. Es gente que no sabe más que murmurar, jugar al tresillo, hablar de sí misma y de su dinero y rebañar a la hora del chocolate la jícara con los bizcochos que tú le sirves. ¿No lo has visto?

La Rita subrayó la interrogación con una sonrisa maliciosa.

—Sí, sí, mi señorita. Sobre todo el señor cura Sota, que es quien las emprende más furiosamente con las arepas. Las agarra a puñaos.

—No hay que admirarse de él: es un cura. Su destino es pasarse la vida comiendo y rezando. Pero los otros... Cierto que toda es gente madura. ¿Para qué, pues, flores en la cabeza, ni en el pecho? Dispón tú más bien de ellas. Si quieres obséquiaselas a tu novio.

—¿De veras, niña? ¡Ah, qué feliz va a ser mi chapetonsito con el regalo! Y a mí que no se me había ocurrido...

—¡Hum! Cuidado, Rita. Yo creo que andas medio olvidada del novio. Como no sea otra cosa lo que te tenga *revolada*.

—¡Che! ¡No diga, niña! Ni que juera una que... Es que no se me había ocurrido. Como no tengo nada que dar. ¿Qué puede dar una esclava sino su cariño? Y ese ya se lo he dado todito a mi godo. ¡Ah, si juera niña como usté, que tiene tantas cosas pa corresponder!

—Bueno, bueno. Hablemos de otra cosa. ¿Y el oratorio cómo va? ¿Qué es lo que has hecho tú ahí?

—Yo he acabao ya de vestir a San Antonio, que jué lo que usté me encomendó, niña. Ña Casilda acabó ya también con el suyo, y el carpintero sólo está esperando no sé qué para dejar terminado el altar.

—¡Ah, sí!; el frontal. Acabo de recibirlo.

—¿Será eso que est'ai? ¡Qué lindo! ¡Pero cuántas flores le han hecho! ¡Jesús, si marea!

María Luz sonreía de los elogios, dejando que la criada, llena de admiración, se acercase a la mesa en que yacía el frontal y se pusiera a verlo y tocarlo.

—¡Qué lindo este pavo real! Mire, mire, niña, este pobresito desnudo y echao sobre una parrilla. ¿Y qué será lo que están haciendo esos hombres con esos chusos?

—¿Cómo, que no sabes, Rita, lo que eso significa? Es el martirio de San Lorenzo.

—¡Ajá! Del martirio si había oido hablar, pero no me lo figuraba así. ¿Y de dónde habrá sacao todo esto José Manuel? Con razón ha estao el hombre todo este tiempo mudo, agachao, casi olvidao de la guitarra.

—¿Y cómo lo sabes tú?

—Porque todos lo hemos visto. ¡Y estaba el moso con un genio! Apenas si aguantaba que se le juera a distraer cuando estaba trabajando eso. Un día que ño Antuco le reprendió porque discuidaba los cueros por cosas que en nada iban a beneficiar al patrón, él le contestó, amusgado: "Vaya usted a desírselo a la señorita María, que es quien me ha mandao hacer este trabajo. Y tengo que hacelo pronto porque así me he comprometido". Y como el otro volviera a desile, medio sumbón y mirando, como quien no quiere, la obra: "Más mejó sería que te hisiera pintamonos, como don Braulio Meca, y dejaras las herramientas a un lao", él volvió a replicarle: "Si no estuviera rodeao de tanto animal y juera libre, sí". Entonse ño Antonio se jué con el rabo entre las piernas y no volvió a desile a José Manuel ni chus ni mus.

María Luz saboreó por un rato y en silencio como quien saborea un bombón delicioso, el chismecillo de la criada, y, desvanecida su emoción, reanudó la charla, deseosa de distraerse y expansionarse.

—¿Y el cura Sota? ¿Qué ha dicho mi tata del cura Sota?

—Que dejuro vendrá a desir mañana la misa, y que tenga para él solo una fuente de arepas y otra de pavo con ensalada, porque después de la misa se quedará a desayunar. Y también algunos convidaos. Creo que son como veinte.

—¡Las rumbosidades de mi padre! Sabe Dios cómo andamos todavía y ya por cualquier cosa quiere echar la casa por la ventana. ¿Para qué tanta gente? Ya le dije que con sus compañeros de tresillo estaba bien. Por supuesto que entre los convidados estará la familia Rejón de Meneses.

La Rita bajó los ojos, con cómica resignación, y contestó:

—¡Sí niña! Y yo no sé qué voy a hasé cuando mis viejos amos se presenten.

—Pues, hija, como si no los vieras. ¿No sabes tú cómo se ponen los ojos cuando no se quiere ver a una persona?

Y soltando una burlona carcajada:

—Después de todo, debes de felicitarte. Vas a tener el gusto de que un matrimonio como ese, tan religioso y respetado, no oiga bien la misa y desayune peor, todo por tu culpa. Y si ella, de buena gana, te haría quemar como hereje, él, de mejor gana, correría a apagarte. ¿No es verdad?

La criada rompió también a reír.

—¡Qué antojaos son los blancos, niña! No se contentan con lo que Dios les da, manque sea más bueno y puro que la hostia, sino que quieren tener de todo, como en botica: blancas, negras, indias, mulatas... Y la niña del señó Baltasar no puede ser más de repuchete, mejorando lo presente, por supuesto, ni más apetitosa, como dice el señor cura Sota cuando se pone a hablar de mujeres allá abajo con los señores.

Pero todo el entusiasmo de la Rita por el frontal se desvaneció al reparar en las zapatillas. Su alma de mujer se conmovió y un impulso incontenible la hizo coger el primoroso y diminuto calzado y manosearlo suavemente, como si así quisiera domesticar a dos pájaros huraños.

—¡Qué presiosura! Esto sí que es una presiosura. ¿Y quién se las ha hecho, señorita? ¡Póngaselas, póngaselas pa verlas en sus piesesitos!

—Ya me las he puesto, Rita —repuso evasivamente María Luz, avergonzada de la inocente mentira, y recordando que sólo había puesto sobre ellas un beso de efusión y gratitud.

—¡Pero yo no se las he visto puestas, niña! ¡Sí!...

Y arrodillándose la vivaracha moza, cambióle a su ama los chapines por la zapatillas.

—¡Qué bien le están, qué bien! Parece usté la prinsesita de un cuento. Dejuro que se las ha hecho traer el señor de Lima, porque estas cosas no se hasen por acá.

—Te equivocas, muchacha. Muy hechas aquí que son.

—¡Che! ¿Y por quién?

—Ni te lo imaginas. Como lo adivines te regalo una peineta para tu boda.

—¿Pero la verdá que no ha sido en Lima?

—Te he dicho que no.

—Entonse ha sido ño Antuco, el mestro del taller, que cuando le da por haser estas cosas ni quien le meta la pata.

—¡Frío!—... ¡frío!... ¡bien frío!

—Será, pues, ño Agapito, el sapatero de San Sebastián, que disen que sólo hase chapines y sapatitos e baile.

—¡Uf! Más frío todavía.

—¡Ya, ya! Ño Barransuela, el de la calle e Los Angeles.

—¡Friísimo! ¿Pero que no se te ocurre quién puede ser, mujer?

La Rita comenzó a rascarse la cabeza y a mirar al cielo raso, como si en esa altura habría de encontrar lo que buscaba. De repente, coscorroneándose, gritó:

—¡Ya, mi amita, ya! Ño Angustias, el mestro que estuvo el otro día en el oratorio, ese mesmo que cuando bajaba la escalera iba santiguándose y disiendo: "¡Qué piesesitos más lindos los de la blanca! Si por estar viéndolos casi m'olvidao de las medidas".

—¡Ay, qué gracia! Pero si ese hombre es carpintero. Es el encargado del retablo. A no ser que tú creas que mis pies se han hecho para que los carpinteros me los calcen. ¡Ja, ja, ja!

—Pues me rindo, mi ama. Vaya usté a sabé quién es el que ha hecho esa presiosura, habiendo en Piura tanto mestro sapatero.

—Pues ninguno de ellos las ha hecho.

—Entonse más pior pa adivinar. O es uno de aquí o se las han traído de Lima. No hay más.

—Pues ni de allá ni de acá, sino de aquí, muy cerquita, muy cerquita.

—No doy; me rindo, niña, me rindo, manque me mande usté a rodar quién sabe onde.

—¡Ah! "Tenéis ojos y no véis", como dicen los Santos Evangelios. ¿Pues quién ha de ser sino José Manuel, mujer, José Manuel?

—¡Ay de mí! ¡Pobresita mi peineta! ¿Mas cómo iba yo a suponé, niña, que el mulato tuviera también esta gracia? ¿No será brujo, niña?

—¡Calla, tonta! Ustedes cuando no pueden entender una cosa creen que es obra de brujería o del diablo. No vuelvas a repetir eso delante de mí. Estas cosas no son sino obras de la voluntad. ¿No has oído decir tú que todo lo que se quiere se puede?

—Siertamente que sí, y ora que se lo oigo a usté, niña, lo creo. Pero es que en l'otra casa onde yo he estao no piensan así. Cuando pelean los amos siempre acaban burlándose de los juramentos que se hasen. "¿Qué vas a tener tú voluntá? —le dise ella—. Si jueras hombre de voluntá trabajarías y no pensarías en perseguir a las criadas". Y él: "¿Y tú? Si tú la tuvieras no irías tanto a la iglesia a confesarte con ese flaire, que sabes que no me gusta". Pero si hasta el que le ha hecho esa curiosidad, niña, cuando canta allá abajo en la noche, dise que contra el querer no puede la voluntá. Ya ve usté...

María Luz, ante tal recordación, perdió de repente su alegría y se le anubló la frente.

—Eso es otra cosa, Rita, que tú no puedes entender. La voluntad a que yo me he referido es de otra clase. Es la que depende de uno mismo y no de los demás. En fin, que ya hemos perdido bastante tiempo, en vez de dedicarle al oratorio el que necesita, para no salir mañana con que alguna cosa falta. Vamos, pues, allá y deja esa cara triste que has puesto, que la peineta siempre la tendrás. Y quien te la va a hacer es José Manuel. Será su regalo de bodas.

—¿De veras? ¡Mi niña linda!

Y contenida de repente en su entusiasmo por una idea repentina, añadió:

—¡Pero que mi chapetonsito no lo sepa! ¿No le parese bien, niña?

—¡Anda, tontuela! Con no decírselo tú...

—Una avertensita, mi ama: que no sea de cacho, porque es de mal agüero. Y aluego que el hombre podría ponerse desconfiado y tomarle ojeriza al obsequio.

—Mejor, para que piense cuál es la suerte que puede correr un mal marido.

XII

UNA APUESTA ORIGINAL

El estreno del oratorio se realizó con discreta solemnidad. Mientras María Luz le dedicaba toda la delicadeza y gracia de su espíritu, su padre, sin humillante ostentación, con la rumbosidad propia de su estirpe castellana y de su pasada grandeza, recibía a sus invitados, colmándolos de atenciones y agasajos.

A la misa, que fué oída con la devoción propia de aquellos tiempos de fe y temor inquisitorial, siguió un excelente desayuno, ante el cual no pudo menos que rendirse la capacidad pantagruélica del reverendo cura Sota, quien, parapetado tras de una enorme fuente de pastel y pavo, no dejaba de hablar mientras comía.

—¡Ah, si todas las señoras de Piura quisieran arreglar como usted, niña Lucecita, sus oratorios y atender después a este humilde pastor y sus ovejas con desayunitos como éste!... Entonces ni de qué quejarse. Pero la fe, mi querido don Juan Francisco, se va perdiendo ya.

A lo que el aludido respondió:

—Para eso están los sacerdotes, pico de oro como usted, mi señor don Benito:

—Y desinteresados, sobre todo —añadió, haciendo una guiñada, don Miguel Jerónimo Seminario y Jaime, un señor atezado y robusto, de cabellera ensortijada y aire resuelto y dominador, el cual a pesar del matrimonio y de sus años, sabía repartirse todavía airosamente entre Venus, Mercurio y Marte.

—Exactamente —contestó el cura, sin darse por enterado de la alusión—. Desinteresados hasta con los que amasan onzas con los codos, que es lo más que se le puede pedir a un pobre de solemnidad como yo. Y si no, que lo diga el mismísimo señor don Miguel ¿Le cobré nada cuando tuve el honor de casarlo con la muy digna señora que me escucha?

—Verdad, mi padre —repuso don Miguel, adelantándose a la respuesta de su esposa. En eso estuvo usted muy generoso, tanto que no pude menos que soltar en el azafatito ese, que usted me presentó tan humildemente, las trece moneditas de las arras en la forma de trece peluconas relucientes. Como que las había limpiado la víspera, con mucha prolijidad, la misma doña Manuela. Allí está ella, que no me dejará mentir.

Todos volvieron los ojos a la esposa de don Miguel, la cual, sofocada por lo intempestivo de la alusión, trataba de disimularlo con las revueltas y esponjadas plumas del abanico.

—¡Miguel!

—¿Pero que no es verdad, señora?

—No me acuerdo... Creo que es una broma tuya.

—Y no fué eso lo mejor —continuó Seminario y Jaime, quien, por lo visto, teníale ojeriza al cura y deseaba devolverle en forma aplastante su indiscreción—, sino que las peluconcitas se traían su cola. Interesado en probarle a mi querido párroco que me había dado cuenta de su generosidad, ordené a mi mayordomo que le mandara, con el debido respeto, por supuesto, trece cabras, trece ovejas, trece pavos y trece cosas más de todo lo que hubiese de manducable en la hacienda. No sé si el mayordomo cumpliría, pues atareado como me hallaba con la luna de miel que me estaba comiendo, no tuve tiempo de enterarme de nada. La verdad es que yo no estaba para sotas de ninguna clase, y usted perdone, mi padre, la franqueza.

—Lo que no deja de ser raro, porque, según es fama, donde usted ve aunque sea la pata de una sota, ahí está usted, mi señor don Miguel, con los ojos encandilados y las peluconas repicando.

La respuesta socarrona del cura hizo que la señora de don Miguel disparase contra éste una mirada, que bien podría interpretarse como un reproche o una advertencia. Y como el disparo fuese notado por el dueño de casa, éste, vivamente interesado en que la conversación no tomara mal sesgo, se decidió a intervenir.

—A propósito de la hacienda, mi señor don Miguel, ¿cómo anda usted de ganado?

—No muy bien; se vende poco y el pasto de los campos, escaso y malo, con lo que el ganado padece naturalmente. Así, ¿qué competencia le vamos a hacer a los cueros y sebos de Chile? Joaquín de Helguero lo ha entendido bien. Por eso no compra ni vende sino sebo de allá.

—Lo siento, porque tenía intención de hacer negocio con usted; comprarle siquiera los cueros.

—Y yo más. Lo que es usted no puede ir mejor. Ha hecho usted un buen negocio traspasando esta tina y poniéndose al frente de ella. Con unos ocho o diez años de trabajo podrá usted salir adelante y con buenas economías. Porque esto con Godos se estaba yendo a la ruina.

—Algo de eso. Felizmente tengo buen personal. Veinte esclavos, todos mozos, y, entre ellos, uno que vale en oro lo que pesa.

—Envidiable —prorrumpió Rejón de Meneses, que hasta entonces estuviera entretenido en charlar con María Luz, averiguándole, no sin cierto embarazo, por su esclava Rita—. Y el esclavo a que usted se refiere es muy habilidoso.

—¡Ah, sí! —intervino Sota, que no se resignaba a estar callado mucho tiempo—. El frontal que se ha lucido esta mañana en la misa ha sido hecho por él, y es una maravilla. ¿Que no le han visto ustedes? Antes de la misa estuve reparándolo. ¡Qué primor en el dibujo! ¡Y qué paciencia para grabar tanta figura!

—¿De veras? ¡Cómo quisiera hacernos uno para nuestro oratorio! —exclamó la señora de Seminario y Jaime, entusiasmada.

—Cuando usted guste, señora, repuso obsequiosamente don Juan Francisco—. No tiene usted más que mandar. Es cosa de poco tiempo. ¿Quiere usted que se lo mande para que se entienda con él?

—Si se pudiera mañana...

—Pues mañana, mi querida señora.

—¿Y como se llama ese pájaro raro? —interrogó Seminario y Jaime.

—José Manuel —respondió don Juan Francisco—. Es un pardo bastante inteligente y formal, que se me traspasó con el negocio. Muestra el mayor interés por todo lo mío, cosa un poco rara en un esclavo, que sabe que todo lo que produce no es para él. Y hasta me parece un poco resignado con su suerte. Cosa más rara todavía, porque tenía referencias de que era muy soberbio.

—¿Y qué quiere usted que haga? —murmuró Rejón de Meneses—. A mal que no tiene remedio... resignarse o reventar.

—Es que no me parece hombre hecho para ese dilema. Noto en sus ojos demasiada resolución. Yo creo que lo que él persigue es su libertad, y, a la larga, tendré que concedérsela, pues me sería sensible venderlo una vez que dejara el negocio.

María Luz, que estaba profundamente disgustada con el tema de la conversación, intervino a su vez, llevándola a un terreno más en armonía con sus sentimientos y el interés de los demás.

—Dentro de poco —dijo, dirigiéndose al cura Sota— va usted a tener que echarle la bendición a una parejita bastante simpática, y de la cual mi padre y yo vamos a ser los padrinos.

—Ya me lo figuro —contestó el cura, que en ese momento retiraba de su delante las ruinas del bastión tras del cual había estado parapetado, sosteniendo casi media hora de asalto truculento—. La ahijada es una chica capaz de provocar otro sitio de Troya en la casa más honesta y de más rígidos principios de Piura. ¿No es verdad, señor don Baltazar?

El hombre de la nuez prominente tragó un poco de saliva, sonrió con una mueca de perro apaleado y contestó, pasando por encima de la irónica sonrisa de su mujer:

—Muy cierto, y cuando usted lo dice es porque alguna experiencia tiene de ello. ¿Quién puede saber mejor de faldas que las faldas?

—Poco a poco, señor mío. La sotana no es falda, como el limón no es lima, ni todo bagre pescado. La falda femenina nunca pasó de la cintura; la masculina llegó siempre hasta los hombros. Ante la una se rinden todos los varones; ante la otra se rinden varones y mujeres. Ya ve usted si hay diferencia.

Don Baltazar se sintió derrotado ante la andanada del terrible curita, y optó por reír de la ocurrencia y arriar su pabellón. Pero don Miguel Jerónimo, cuyas ideas liberales eran ya bien sospechosas y andaba siempre buscando pie para sacarlas a relucir, especialmente cuando estaba en presencia de algún sotana, a los que tenía por cimientos de la servidumbre, prorrumpió:

—Pero usted no negará, mi padre, que, así como hombres y mujeres se rinden ante la sotana, la sotana también sabe rendirse ante las mujeres y los hombres. Y váyase lo uno por lo otro.

—Conformes —gruñó socarronamente Sota—. Sólo usted, señor mío, parece no rendirse ante nada. Sin embargo, tiene usted allá en su hacienda un negro Nicanor que lo saca a usted de sus casillas con la guitarra o el arpa. Cuando él se alza por todo lo alto con una morropana, ni en un mes se acuerda usted, según dicen, de ganados ni rodeos. Y entonces hay que verlo a usted rendido a los pies de una falda pabureña.

—Y a usted también, que, por no querer ser menos, a lo mejor resulta usted una legítima sota de copas.

—Sí, sí; no lo niego. Pero que conste que sólo por complacerle a usted hago yo tales cosas.

Y luego apuntando al blanco, donde quería dar:

—Pero ahora ya no me entusiasmaría su Nicanor, mi señor don Miguel. Después de haber oído a Matalaché, digo, al mulato de que hemos hablado enantes, a propósito del frontal, ya no hay más que oír en materia de guitarreo. ¡Qué manos, Dios, qué manos! La otra noche, mientras echábamos aquí nuestra acostumbrada mano de tresillo, me embelesé de tal manera oyéndole, que me dejé dar tres codillos al hilo y renuncié más de una vez.

Don Miguel Jerónimo, que tenía su diablo en el negro Nicanor, pues creía poseer con él el mejor guitarrista de la piurana tierra, y tal vez si de todo el norte del Perú, se quedó mirando al cura tan burlona y compasivamente, que todos, hasta la enfurruñada doña Manuela, sonrieron, tácitamente de acuerdo en que lo dicho por Sota rayaba en la idiotez. ¡Un guitarrista mejor que Nicanor, *el de la mano de plata,* como le había apodado la admiración popular! Estaba loco el cura.

Pero la extrañeza de todos llegó a su colmo cuando don Juan Francisco, entretenido en ese momento en hacer circular la caja de fragantes vegueros, tomando uno de ellos y pasándoselo a don Miguel, exclamó:

—No ha exagerado el taita cura. Yo he oído a Nicanor en sus buenos tiempos, que fueron también los míos, y, sinceramente lo digo, su toque era para hacer bailar a un muerto y su canto para estremecer a un sordo. Pero... y no se me atufe usted, don Miguel, al lado de mi capataz su negro resulta algo así como un chilalo o un choqueque —que es el pájaro más bronco que yo conozco— al lado de un ruiseñor. Es preciso que usted oiga al mío. Y es que José Manuel no sólo toca lo que todos sabemos, sino que improvisa, y a veces preludiando gusta más que cuando entra de lleno en el toque.

—Así es, así es —añadió el cura, devolviéndole a don Miguel su mirada burlona y atizando el amor propio de don Juan Francisco—. Yo sostengo que José Manuel es una maravilla con la guitarra, y... si no fuera porque mis teneres no me lo permiten, apostaría, mi señor don Jerónimo, quinientos ojos de buey a que Nicanor toca menos que José Manuel.

—No es necesario, don Benito —dijo don Juan—. Para eso estoy yo aquí. Yo, como dueño de José Manuel, sería el llamado a formalizar cualquier apuesta, siempre, por supuesto, que Seminario siguiera sosteniendo lo que ha dicho.

—Délo usted por sostenido, de los Ríos —respondió don Miguel, con cierto aire de hombre avezado a los azares del juego y a satisfacer sus caprichos a fuerza de puñados de onzas—. Y aunque yo no he tenido el gusto de oír tocar a su moreno jamás, para juzgar hasta dónde puede ser de exacto lo que usted y el taita cura afirman, lo doy por oído y doblo la apuesta. Mil pesos a Nicanor y no hablemos.

—Esas son locuras, Jerónimo —dijo doña Manuela, interviniendo grave y prudente—. ¿Tú sabes lo que puede tocar el negro de don Juan? En cambio don Juan sabe lo que toca el suyo.

—Dice usted bien, señora, pero de eso hará cosa de quince años, y hay que suponer que Nicanor habrá adelantado mucho desde entonces. No voy, pues, tan seguro como usted pudiera creer. Y luego, que yo puedo estar muy equivocado con respecto al mío. El amor propio ciega.

—¿Pero quién sería el juez de la apuesta? —interrogó Rejón de Meneses—. No habríamos de serlo nosotros porque, a más de faltarnos dedos para el asunto, podría dudarse de nuestra imparcialidad, pues yo también apostaría a Nicanor.

—¿Quién sería el juez? —dijo Seminario—. Pues los que acordáramos de los Ríos y yo. Se escogerían, por ejemplo, a los tres maestros de música de aquí o de cualquier otro pueblo del partido, y los designaríamos jueces. Una parte de la apuesta se destinaría a gratificar a los tres individuos y la otra, a los gastos que ocasionara la fiesta. ¿Qué más?

Todos volvieron los ojos a don Juan, quien, entretenido en ver las azulencas grímpolas que despedía su puro, parecía no haber oído el reto de Seminario y Jaime. Dejó transcurrir algunos segundos, deleitándose en jugar con la ansiedad de sus invitados, y contestó:

—El reto queda, desde luego, aceptado. Lo que no me parece muy interesante es el valor de la apuesta.

—Pues la doblaremos —se apresuró a decir don Miguel.

—No, mi querido amigo; si no es la cantidad la interesante, pues no es cuestión de competir a quién apuesta más, porque el mal parado sería yo precisamente, aunque no me hacen falta mil pesos o dos mil. Pero como yo deseo que este rato tan agradable que estoy pasando con ustedes se repita y que mi pobre hija tenga con él una distracción, ya que hasta hoy viene haciendo vida un poco retraída, preferiría que la apuesta fuera algo nuevo, emocionante, original, en una palabra, y que de ella pudieran disfrutar todas las familias que nos han honrado hasta hoy con su amistad.

—Usté, dirá, mi querido amigo —repuso gravemente don Miguel Jerónimo, intrigado por el tono de su anfitrión y deseoso de saber adónde quería éste ir a parar.

—Pues bien, yo propongo lo siguiente: que el que pierda ceda su guitarrista al amo del victorioso y que el torneo se haga aquí, en La Tina, siendo de mi cuenta todos los gastos. De otro modo no hay apuesta.

—¡Bien dicho! —murmuró el cura. ¡Eso es hablar en plata!

—Así tendríamos una especie de torneo de payadores, a la manera gauchesca, como los que he visto en las tierras argentinas, con la diferencia de que nuestros *cumananeros* no van a jugarse la reputación solamente sino su futura servidumbre, que siempre es de interés para el amo y para el siervo, y en que el público no va a componerse de hombres de chiripá, poncho y facón, sino de señores de casaca y damas de manteletas de seda y arracadas de brillantes. El espectáculo sería digno de mis invitados y de los competidores. ¿Qué le parece a usted, Seminario?

—¡Magnífico! La idea es digna de un hombre como usted. ¿Y para cuándo sería ese torneo?

—Pues para cuando lo indique el que ha motivado la apuesta y que tan calladamente se ha quedado, después de haberle prendido fuego al castillo —contestó de los Ríos, mirando al sesgo al cura Sota.

—Pues ya que el señor don Juan me concede tal honor, que no esperaba —murmuró apresuradamente el cura, sin darse por aludido del resto de la frase—, yo fijaría la fiesta, digo, la apuesta, después de la respectiva misa solemne, para el día de la Santísima Cruz.

—¿Para dentro de seis días? —exclamó don Miguel—. ¿Que está usted loco, cura? En seis días no se preparan ni contendores ni invitados. Ni para encordar las guitarras.

—Yo creo —dijo María Luz, que había escuchado con zozobra y disgusto la proposición de su padre— que lo mejor sería hacerles tocar un poco, después de darles un mes de plazo para su preparación, y al que lo hiciera mejor, libertarlo.

—O darle una flor de oro —dijo tímidamente una de las jovenzuelas que había estado departiendo con María Luz, entendida, al parecer, en achaques de concursos poéticos.

—¿Para qué flor de oro, señorita? —observó Rejón de Meneses—. No se trata de juegos florales a la francesa. La apuesta, tal como la ha planteado don Juan Francisco, me parece de lo más interesante y original.

—Sobre todo —murmuró de los Ríos—, que ya está aceptada y no se podría variar nada de ella, hija. Cuando un Ríos de Zúñiga cierra un trato no hay más qué hablar.

—Lo mismo digo yo de un Seminario y Jaime —respondió don Miguel.

—Entonces, ¿por qué no se fija una fecha más lejana? El Carmen, por ejemplo —indicó María Luz, angustiosamente, y queriendo alargar cuanto fuera posible el plazo para que pudiera aprovecharse de él, el dueño de sus pensamientos.

—Ya eso sería retardar mucho la apuesta —dijo don Jerónimo—. De aquí allá podría morirme yo y quedar el compromiso en nada. ¿Por qué no para el Corpus, en la tarde, después de la procesión? Sería una hermosa manera de festejar el día.

—Y de honrar a mi señora doña Manuela, su digna esposa —añadió el cura, conviniendo con don Jerónimo—. Pues queda fijado el día del Corpus para ese torneo gauchesco, como ha dicho don Juan Francisco.

—Ni una palabra más, señores —finalizó el dueño de casa.

Y mientras el cura Sota se frotaba las manos, con sonrisa un tanto maligna y orgulloso de su habilidad con que había sabido provocar una apuesta, que, caso de ser cierto lo que se decía de José Manuel, podría vengarle de las repetidas cargas de coracero que le daba don Miguel cada vez que se encontraban en alguna reunión, los invitados se fueron retirando, hasta quedar solos en el comedor don Juan y su hija; el uno, sonriendo enigmáticamente, y la otra, transida, ceñuda, con los resabios de su alegría, causada por la fiesta mañanera, tan prestamente amargados.

Y así habrían permanecido padre e hija quién sabe qué tiempo, si ésta no hubiera exclamado al fin, con acentuado reproche:

—¡Qué cruel eres, tatito! ¡Con qué facilidad olvidas el mérito de tus servidores!

—¿Por qué, hija? ¿Por qué me juego a José Manuel en una apuesta? ¿Y crees tú que voy a perderlo? ¡Qué candidez la tuya! El negro Nicanor es un imbécil. Toca bien y nada más. Como tocan muchos negros y zambos del valle, que no hacen más que repetirse, imitarse o plagiarse unos a otros a la hora de la improvisación. Pero José Manuel es otra cosa; es inimitable, insuperable. Tiene toda la facundia de un payador argentino y toda la gracia de su raza. ¡Bah! Es un triunfo barato el que vamos a tener los dos. Tú, particularmente, porque veo que te interesas por él, y eso habla muy bien de tus sentimientos de ama y de mujer.

—Me intereso por él porque me ha manifestado sus deseos de libertad, y en caso de perder, don Miguel Jerónimo cargará con él y no lo libertará nunca, precisamente para darse el tono de ser el dueño de los dos mejores guitarristas de estas tierras.

—Pues se va a chasquear, hija. Ya lo verás. José Manuel tocando vale por tres Nicanores juntos. Y él me va a ganar al pabureño.

—¡Qué Dios te oiga, tatito!

XIII

UN CORAZON QUE SE ABRE Y UNA PUERTA QUE SE CIERRA

María Luz acabó por resolverse. Frente al peligro que la amenazaba —porque para ella era todo lo que pudiera atentar contra su corazón— puso de golpe en la carta que la suerte le ofrecía, con irónica crueldad, todo lo que podría valer más para ella: su honor y su orgullo.

Por eso, llena de exaltación, dominada por la idea un tanto probable, de perder para siempre lo que cuidadosa había venido cultivando, de quedarse sola y sumida en la tristeza de una separación definitiva y en el martirio de tener que sofocar la pena de la ausencia y la traición de las lágrimas, no supo dominarse y cedió a los impulsos de su corazón.

Lo que en otros momentos fuera una ideación simple, el esbozo de un pensamiento absurdo, al fin se resolvía a salir de la penumbra de la mente para entrar, arrollador, en los dominios de la voluntad. Aquel pensamiento, al parecer inconcebible, loco, para el alma sencilla de una esclava, se convirtió, de realidad, en la verdad de otra alma compleja y libre, pero esclavizada por el despótico poder del amor. ¿Para qué resistir a ese poder incontrastable? ¿Para qué retardar la entrega real de lo que estaba dado ya espiritualmente? ¿Para qué detenerse ante el prejuicio, si detrás de él estaba la satisfacción de un deseo ardiente, inextinguible, el misterio de la vida, con sus puertas abiertas y esperándola para enseñarle todo lo que guardaba, la simple y única verdad que encierra todo amor, por más puro que parezca?

Por eso en la noche de aquel día odioso, en que el amor propio de dos hombres, indiferentes a la suerte de otros dos, la sumiera en el dolor y la inquietud, encontrábase María Luz en el cuarto de su esclava Rita, sola, anhelante, febril, en actitud de espera misteriosa. ¿Cómo habría de recibir al bien amado? ¿Cómo habría de conducirse para ocultarle la superchería? ¿No la descubriría José Manuel por el aliento, por la voz, por más que tratara de fingirla, emocionada como estaba por la audacia de su inaudita aventura? Y si él se atreviera a. besarla, como era de suponerlo, ¿qué habría de hacer para rechazarle, para mantenerle en el punto preciso de la respetuosidad? Porque él, en la creencia que se trataba de la Rita, tendría que tratarla como si fuera ella. De nada habrían de servirle sus protestas, sus rechazos, si unos y otros tendría que hacerlos reprimiéndose, para evitar ruidos y violencias delatoras; poniendo mil reparos para que la máscara de la simulación no se le cayera del rostro y la dejase a merced del vencedor. Y luego, que la resistencia tendría que resultar, a la larga, tonta, ridícula en una esclava, en la esclava de la ficción, que nada tenía que perder, puesto que para eso había sido mandada por sus amos primitivos y, vencida al fin por el deseo, había querido entregarse por su propia voluntad.

Y la noche, enlobregada por la ausencia de toda luz celeste, no podía estar más a propósito para aquella cita amorosa. Del patio, anegado en sombra, emergían a ratos, tenues y quejumbrosos, los murmullos del jardín. Parecía que sus flores respiraban fatigosamente bajo el peso de la hora solemne. Y mientras María Luz y su nodriza velaban, torturadas por la espera, en el fondo del viejo caserón, alguien esperaba también, pero tranquilo.

De pronto un crujir tenue, sutil, tan sutil que parecía el sedoso deslizamiento de un plantígrado, se fué acercando hasta llegar a la puerta de la habitación en que aguardaba María Luz, y se detuvo, mientras ésta, conmovida por un temor instintivo, se levantó con intención de escapar y dejar todo al acaso. Pero otro impulso más poderoso la retuvo, clavándola en el suelo y estreme-

—Y si así fuera ¿por qué me has citado entonces? ¿Ha sido para decirme esto?

—¿Te pesa que te haya citado?

—No; porque al fin esta entrevista era necesaria. En estos últimos días, con el pretexto de que te estoy haciendo la peineta por mandato de la señorita María Luz, has estado yendo mucho a mi taller, y ña Martina, que todo lo fisgonea, ha estado con muchas indirectas conmigo, y se me ha puesto que nos va a meter un cuento de repente y te va a echar a perder a ti la boda y a mí a traerme el odio de ño Antuco, que no te ve con mala cara. Y yo quería decirte esto a solas, para que no sigas yendo por lo de la peineta.

—Y eso naturalmente te tiene mortificado, ¿no? ¡Gracias por la franqueza! Para decirme eso mejor habría sido que no subieras. ¡Qué duro habías tenido el corazón, José Manuel!

—¡Qué lo voy a tener duro, criatura! ¿Pero que no ves que lo tengo lleno de otra mujer, de una que no me deja pensar en las demás, porque su recuerdo me las espanta y no me permite verlas ya como antes las veía. Ni desearlas tampoco. ¿Para qué? Con la imagen de ella tengo todo.

—¿Y se podría saber quién es esa dichosa?

—No; me quemaría los labios diciéndolo.

—Ni que fuera llama.

—Algo parecido es. ¿Y para qué decirte su nombre? Déjame a mí con mi secreto.

—¿Y ella te corresponde?

—¿Cómo me ha de corresponder si no lo sabe? Y aunque lo supiera...

—Parece mentira. El amor no se puede ocultar.

—Así dicen. Pero yo sé ocultar el mío. ¡Está ella tan alta!...

Ante esta confesión, la más insospechable de falsía que una mujer pudiera oír, María Luz, movida de pasión, dejó escapar un trémulo suspiro e involuntariamente abatió la cabeza sobre el pecho musculoso del hombre que tan feliz la hacía en ese instante. Y al sentir en su aterciopelada faz el contacto del atigrado jubón, una crispatura de espasmo la sacudió desde la nuca hasta los pies, haciéndola vibrar como una fina porcelana.

José Manuel, más dueño de sí mismo, inhibido de todo atisbo de deseo por la obsesión de su amor imposible, rechazó suavemente a la que él suponía una pobre vencida más, y levantándose inició la retirada.

—Ya hemos hablado, Rita, lo que teníamos que hablar. Perdóname que me retire, pero no te ofendas, que algún día me lo agradecerás. Queda con Dios y que El te ayude.

—¡No, José Manuel! —gutureó María Luz, anhelosa y sensiblemente enronquecida—. ¿Que no me has conocido? Soy yo, yo, que no he podido contenerme y te he hecho llamar para que esta noche me digas tu secreto, todo, todo lo que quieras decirme...

Y, cubriéndose el rostro con las manos, se puso a sollozar.

—¡Era usted, niña María Luz! ¿Usted, la estrella más alta de los cielos, bajándose al alcance de mi oscura mano? ¡Ah, cómo no me caigo ahora mismo muerto de felicidad!

—¡Sí, yo, María Luz! ¿Te parece mentira? A mí también me parecía lo mismo antes de que tú vinieras. Pero veo que es verdad. Aquí estamos los dos... ¿Por qué he hecho esto? No lo sé, por más que me lo pregunto desde que tú entraste. ¿Por qué no te sientas para que me escuches mejor?

El mozo obedeció, aturdido todavía por el golpe de su inaudita felicidad, pero poniendo entre los dos cierta distancia, tanta como la fuerza de su ancestral respeto lo exigía. La luna, que en ese instante asomaba, carrilluda y blonda, por el fondo del patio, iluminó la habitación, partiéndola en dos segmentos de claridad lechosa y desigual.

—¿Qué te parece mi engaño? Podría haberte hecho citar yo misma, pero, francamente, me faltó valor. Es cosa muy fuerte resolverse a un trance como este, dejando una a un lado las consideraciones que le debe a su honor y a su sexo... Pero mi corazón me ha empujado. Y casi no estoy arrepentida, pues gracias a él sé hasta dónde me ama el tuyo.

—¡Ah, mi niña Luz! Si yo le dijera lo que en mi corazón está pasando desde que usted arribó a esta casa... Soy otro hombre, soy otro hombre. ¡Y esto se lo debo a usted! Toda la suciedad que podía haber en el alma de este pobre esclavo ha desaparecido. Hoy está limpia como un espejo. ¡Se lo juro!

—Te creo. Acabas de probármelo con tu actitud. ¿Qué hombre en tu lugar habría hecho lo mismo? Con ello me doy recompensada de este mal paso.

Y después de un breve silencio, durante el cual María Luz pareció entregada a la meditación de algo doloroso:

—¿Sabes ya, José Manuel, la apuesta de mi padre?

—Luego luego fué a contármela ño Antuco, que parecía muy complacido de ella. Yo no le hice caso. Nicanor no me da cuidado con su guitarra. Ya no pueden sus manos con las mías.

—¡Ah! ¿Así es que ese hombre no es un competidor peligroso para ti? ¿Tú crees que no te vencerá?

—¡Jamás de los jamases, señorita María Luz! Si los que nos van a juzgar saben lo que es tocar guitarra y cantar, la victoria tendrá que ser mía. Y, además, para eso estará usted ahí, señorita. Y estando usted presente ¿cómo podría yo perder? Mi inteligencia se acrecentará y el corazón se me llenará de confianza. Por algo se llama usted María de la Luz. Y usted... usted..., al fin tengo que decírselo, aunque me queme los labios, ¡usted es mi luz! Y la virgen de mi devoción también. ¿Y quién puede perder teniendo a una virgen de su parte?

—Me has quitado un peso del corazón, José Manuel. ¡Vencerás!, ¡vencerás! Porque si no vencieras... no sé lo que me pasaría...

—¿De veras, niña? —moduló José Manuel, envolviendo a María Luz en una ardorosa y fascinante mirada—. ¡Ah, entonces, aun perdiendo, sería feliz! Pero no; José

Manuel jamás saldrá de aquí para ir a servir a otro amo. Ese día triunfará José Manuel o lo sacarán muerto.

—Tanto como eso no. Yo te haría volver de donde estuvieras. No, no hables de muerte, José Manuel. Háblame de la vida, de eso que hasta ayer tuviste por imposible y que hoy ha dejado de serlo... de serlo. ¿Has oído?

—Sí, mi ama; que ha dejado de serlo para convertirse en una verdad que apenas me cabe en la cabeza— murmuró el mozo, deslizándose suavemente hasta quedar arrodillado a los pies de la doncella—. ¿Y si todo fuera un sueño, niña María Luz?... No, no... ¡Es la verdad! La verdad más hermosa que podrían ver, desde que el mundo es mundo, los ojos de un esclavo. ¡Ah, qué feliz si yo pudiera morir ahora mismo despedazado, triturado, deshecho! Cuando subí por la que creía que subía, pensaba muy bien en lo que podía costarme la audacia, y no dejé de temer. Pero ahora que sé por quién es y que puedo pagarlo con la vida, ¡qué feliz me siento! ¡No temo nada! Y es que después de este momento de felicidad, niña María Luz, la muerte ya no me importa.

—No, no, José Manuel; hay que vivir —murmuró María Luz, acariciándole la cabeza al esclavo, la cual, reclinada sobre sus faldas, absorbía, ebria, la sensual emanación de aquella carne rubia y palpitante.

—Si usted lo quiere, niña, viviré. Pero los blancos no perdonan.

Y no satisfecho aún el esclavo de su rendida actitud, inclinándose más todavía y cogiendo los pies de su ama, comenzó a besarlos con unción, mientras ella, desfalleciente, enarcado el pecho en rampante curvatura, parecía invitar a su conquistador, con los índices de sus erectas pomas, visibles, a través del diáfano peinador que los cubría castamente, a beber en la fuente del amor y de la vida...

—¡Ah, déjame!... ¡Basta!... —gemía ella, desmintiendo el mandato con el jadeo de su febril respiración y el deliquio de los párpados, caídos sobre sus ojos misericordiosamente—. ¡Ah, no!...

Pero José Manuel parecía no oír. Enorgullecido doblemente por la dicha de palpar y besar lo que jamás soñara, y de ver los dos primorosos estuches, que hicieran sus manos, aprisionando aquellos divinos pies, creía que toda la felicidad que en ese instante se le ofrecía podía sólo pagarla rindiendo su alma en besos de muda adoración.

—¡Ah, niña bendita!... Has querido recibirme poniendo sobre tus lindos pies lo que te hiciera con tanto esmero tu esclavo. Así como ellas quisiera estar yo siempre, para que me pisaras...

Y como, en la fiebre de su exaltación, José Manuel se atreviera a posar sus quemantes labios más arriba de los pies de la doncella, ésta, estremecida y agónica, susurró, señalando al frente con la diestra:

—¡La puerta!... ¡La puerta!... ¡Cierra, José Manuel, la puerta!...

XIV

UN DIA SOLEMNE, UNA FIESTA BRILLANTE Y UNA MANO PERDIDA

Amaneció el día de Corpus resplandeciente, virginal, abarrotado de cielo azul y alegría aldeana. Otoño, con la melancolía de un cincuentón que comienza a ver su rostro rubricado de arrugas, había querido hacer en este día un alarde de entusiasmo juvenil, para eclipsarse después entre las frías e irónicas sonrisas del invierno, que acechábale ya.

En las blancas y cuarteadas torres de la iglesia, libradas de las violentas sacudidas del terremoto de dos años atrás, las campanas festejaban la gloria del día, coreadas por las *camaretas* y los restellantes *surgidores,* que iban dejando, al reventar, retorcidos airones de humo blanquecino sobre el límpido espacio.

Un hálito de incienso envolvía a la ciudad, por cuyas calles discurría la gente en vaivén inusitado, imprimiéndole a la vida ciudadana un alegre y vistoso aspecto de feria. En las puertas y balcones de las casas solariegas los sedeños y floreados mantones y las colchas adamascadas vertían, en soberbia competencia, las cascadas de sus oros y sus flores sobre aquellas otras naturales, olorosas y recién holladas, que yacían en el suelo, regadas por los fieles en una procesión madrugadora.

En algunas esquinas levantábanse arcos, fajados de cintas de papel y trapos de color, guarnecidos de guirnaldas de follaje y laurel, empenachados de alegres banderines y de cuyo centro pendían *nubes* de seis puntas, abiertas, como grandes estrellas de mar, vaciadas de palomas y décimas, echadas al paso del Santísimo. En otras, en vez de arcos, lucían altares de gusto infantil, semejando acolchados estuches, dentro de los cuales edificaba un San Antonio, un San Jacinto o alguna virgen cualquiera, trajeada mundanamente, con crespos naturales en torno de las arreboladas mejillas, abrillantados pendientes, collarines de perlas y faldas tachonadas de lentejuelas y briscados. Y delante de la imagen, guardabrisas de cilindro y campana, adornados de cintas rojas, tejidas en losange, y dentro de los cuales parpadeaban los cirios lacrimosos; floreros de loza, con cabeza de perro truncadas y chillonas escenas pastoriles; sahumadores de plata, coronados de pavos reales, con alardes de hinchazón prosopopéyica; de gallinas en arrebujamiento maternal, y palomos de buche engolillado y túrgido...

Y en las calles convergentes a las iglesias, improvisadas alamedas de sauces, palmas y laurel, con el suelo apelmazado por el riego matinal, exhibiendo, a trechos, mesas con fuentes de aves y lechones enhornados y ventrudos vasos de chicha de maní y jora; y sobre las veredas y pretiles, *lapas* de dulce, palillos de balza, erizados de cardos con figurillas garapiñadas, y canastos de bollos, alfeñiques, acuñas y mazapanes... Toda una batería de viandas para adultos y de golosinas para niños, enfilada contra el apetito madrugador de los fieles, detrás de la cual una guerrilla de negras y mulatas jacarandosas y bullangueras, en traje dominguero, contestaban los dichos intencionados de los consumidores con alguna cuchufleta, chupándose los dedos cada vez que, al despachar, trozaban alguna ave.

En La Tina, el día había sido recibido también con alborozo y con más razón que en la ciudad. Para sus moradores este día de Corpus iba a dejar en todos un recuerdo memorable. Desde hacía un mes no se hablaba en ella más que de la fiesta original e interesante, en la que dos esclavos iban a ser objeto de expectación pública. Una fiesta jamás vista hasta entonces, que tenía suspensos a amos y siervos, y para cuya asistencia habían sido ocupados todos los menestrales de la ciudad por el linajudo señorío piurano y el de sus contornos.

La enfermera ña Martina, interesada naturalmente en el triunfo de su compañero, había llamado a José Manuel la víspera, con cierto misterio, y después de jugarle las cartas, terminó asegurándole que la victoria sería suya irremisiblemente. El mulato, impresionado por la gravedad y misterio con que la cartománcica había barajado y combinado los naipes, sonrió, optimista, al presagio. Y el presagio había circulado por todos los ámbitos del caserón, desde el piso del ama, que lo recibiera con oculta alegría, hasta el galpón de los esclavos que se anticiparon a celebrarlo en la noche, canturreando y contándose cuentos de truculencia infantil, a excepción del congo del molino quien, reconcentrado y misterioso, no hacía más que oír y observar desde la tarima de su cubil.

El mayordomo, que al principio se mostrara un poco pesimista del éxito de José Manuel, después de ser autorizado por el amo, había agasajado por cuenta de éste, a sus compañeros de esclavitud, con una cena abundante, rociada de guarapo, champús y chicha. Sólo la Casilda amaneció ceñuda y llena de presentimientos. ¡Pobre su señorita si José Manuel llegaba a perder, y pobre de los tres si llegaba a ganar! Porque ella, mediadora inevitable de las nocturnas entrevistas de su ama con el mulato —pues la Rita, trasladada definitivamente a otro alojamiento, seguía ignorándolas o sospechándolas tal vez— comprendía la grave responsabilidad de su celestinaje y todo lo que de él podía desprenderse.

Pero en su cerebro rudimentario, de personilla ingenua, bullía un pensamiento, al que se sentía inclinada, y había querido, de estar en su mano, ver triunfante: la necesidad de la derrota del mulato. Vencido éste, su nuevo señor se lo llevaría, como era natural, y con él el embrujo de su niña, dejándola a ésta en paz y a ella libre del peligro que la tenía en cuita. Y arrastrada por aquel pensamiento egoísta, lo primero que hiciera al levantarse fué ir al oratorio, ponerle una vela a la virgen del Carmelo y pedirle por el triunfo del otro.

María Luz había hecho también lo mismo a la hora de la misa; pero su petición había sido contraria. Llena de fe y unción, de rodillas frente a la acogedora imagen, con los ojos levantados en fervorosa actitud, haríale confesado todo el dolor que la abrumaba en ese instante; y, a la vez que le pedía perdón por su pecado, prometíale no repetirlo más, aunque su corazón se le rompiera. Y haríale hablado también de las lágrimas derramadas, no tanto por su flaqueza cuanto por lo irreparable de su caída. ¿Dónde iría a parar este amor que tanto la había hecho olvidar en un instante? ¿A la muerte, como le dijo aquella noche José Manuel? Bien, pero que fuera pronto, si así estaba decretado por Dios, y después de haber triunfado el dueño de su pensamiento. Y lo pedía no por ella, que se sentía ganada ya por el arrepentimiento, sino por él, por ese hombre bueno e infeliz, con cuya libertad jugaban los hombres como el viento con las hojas. Verdad que su falta era grande, inaudita. ¿Pero era realmente una falta? ¿Era un pecado haber cedido a los impulsos del corazón, a la ley del amor, única y divina, como lo oyera siempre gritar desde el púlpito a los ministros del altar, que une e iguala a todas las criaturas, por más separadas que estén y diferentes que parezcan? Porque, después de todo, ¿qué había hecho ella sino darse en un acto de amor, como Jesús en la divina hora; restañar con sus besos las heridas de un alma, hechas por ella misma, y alumbrar con un poco de su luz la noche interminable de un esclavo? Y con su mirar retrospectivo iba descubriendo que lo que la llevara a entregarse no fué un simple anhelo de goce, sino un inconsciente sentimiento de piedad y sacrificio.

Y sacudido el pecho por los violentos sollozos, terminó así su sincera plegaria: "¿Y no fué tu Hijo, Madre mía, el que vino a morir también por el amor entre nosotros?"

Desahogado así su corazón, María Luz, más llena de confianza, se había entregado por entero a los preparativos de la fiesta, deseosa de que ésta resultara digna de su fin y de la grandeza de sus mayores. Todo el pequeño mundo de la casona se agitaba obediente bajo su vista y sus órdenes, entusiasta, febril, como contagiado por su pensamiento.

El mismo don Juan Francisco, más accesible que nunca, paseaba por el patio, vigilando los arreglos del tablado en que iban a competir los dos más famosos *cumananeros* del Partido ante un jurado musical; dirigiendo la distribución de los asientos que habían de ocupar sus invitados —desde el señor Subdelegado hasta el más modesto hidalguillo— con el fin de evitar conflictos, resentimientos y despiadadas murmuraciones.

Por otro lado, el cura Sota, ayudado por José Manuel, improvisado secretario suyo, hacía la distribución, conforme a la lista que iba leyendo, muchos de cuyos nombres estaban precedidos de títulos, más o menos históricos y rancios, honoríficos y burocráticos, gran parte de ellos seguidos de una o más copulativas, mientras otros aparecían simples y llanos, pero ennoblecidos por el timbre de sus pesos o el distintivo de la cogulla o la sotana.

La cuestión era delicadísima; una cuestión de la que dependía en gran parte el éxito de la fiesta. No se trataba sólo de ir a sentarse y ver, sino de ver bien sentado y jerárquicamente, esto es, con todos los honores y respetos que cada cual creía merecer. No era posible que el gran señor y el hidalgüelo fueran a tener, así como así, tacto de codos, en una fiesta semejante, cuando no lo tenían ni en la iglesia misma. Pero con un maestro de ceremonias como don Benito, que conocía como nadie la vida, usos, costumbres y prerrogativas de la quisquillosa sociedad piurana, la distribución quedó hecha concienzudamente y sin temor a resquemores ni agravios.

El jardín, dejado fuera del círculo en que iba a desarrollarse el espectáculo, formaba con sus ñorbos y campanillas un verde y florido cortinaje, que impedía atisbar desde fuera a los curiosos, al mismo tiempo que alegraba la vista y refrescaba el ambiente.

Y este vaivén inusitado y febril fué calmándose después del mediodía, cuando, terminados los quehaceres, cada uno pasó a ocuparse del aliño de su persona.

Ya en el filo de las tres comenzaron a afluir los invitados. En la puerta principal montaba guardia un retén de milicianos, destinado no sólo a hacerle los honores a los personajes de autoridad y mando, sino a contener los avances del gentío —que, desde una hora antes, se apretujaba para ver— e imponer el orden. El mayordomo ño Antuco, escoltado por dos criados más, de flamante librea, iba anunciando estentóreamente a los que llegaban, quienes, después de recibidos y cortejados por don Juan Francisco y su hija, pasaban al poder del cura Sota, para ser guiados a su asiento.

Los primeros en llegar, como era de suponerse, fueron los esposos Seminario y Jaime. Don Miguel Jerónimo se presentó con un boato digno de su persona y de la fiesta: carroza dorada y cochero negro, montado en mulo de gran alzada, y tras del vehículo, en ordenado pelotón, una cabalgata de paniaguados, esclavos y colonos, a cuya cabeza jineteaba, como un centauro, terciado el poncho dominguero y haciendo alarde de chalaneo y alegría, el gran cumananero Nicanor, que parecía decirles a todos al pasar: "Párense y vean bien al famoso pabureño Nicanor". Y una espesa cola de polvo y un visible revuelo de curiosidad en el vecindario cerraba el trepidante desfile.

En seguida apareció don José Clemente Merino, con dos batidores delante y un pelotón de lanceros detrás. Don José Clemente llegó acompañado sólo de su secretario, una especie de golilla fúnebre. Rasurado meticulosamente, luciendo una gravedad impropia de sus años, pues recién había entrado en la virilidad, el subdelegado cruzó el portalón y fué a perderse en el fondo de la casona, dejando entre el hervidero de los curiosos el deseo de saber por qué no había concurrido también su señora.

Y tras de este personaje, como si los convidados hubiesen estado esperando verle pasar para seguirle, fueron llegando todos, por familias. Primero don Fernando Seminario y Jaime, esbelto, espigado, prosopopéyico, dentro de la envoltura de un negro e impecable frac, aumentando su gravedad la tiesura del alto cuello y el enroscamiento del blanco corbatín, que venía a rematar en leve mariposa sobre el nacimiento de la garganta.

Todo era noble y solemne en este señor; su blancura de reminiscencia vasca; su frente de ensenadas y horizontes; su barbilla, repollada y voluntariosa; su nariz, ligeramente aguileñada en su arranque, y el rasuramiento prolijo de la faz, que dejara sobre ella un leve azul de santo de escultura. Sólo el dorado de las bocamangas del frac, la albura del ceñido calzón y las dos medallas de las leontinas que asomaban sobre los faldones del verde chaleco, lograban atenuar un poco tanta solemnidad.

Acompañábale su esposa, doña María Joaquina del Castillo, morena, adiposa, jovial y abrumada de terciopelos, encajes y joyas. La calesa de esta pareja se hizo a un lado y al punto fué reemplazada por la del marqués de Salinas, de la que descendió éste con su mujer, doña María de la Cruz Carrasco y Carrión. Y tras de éstos don Nazario García y Coronel con doña Isidora Carrasco y Merino; don Joaquín de Helguero con doña Josefa de Carrión e Iglesia; el regidor don José Antonio López con doña Manuela Torres Palacio; el alcalde don Pedro León y Valdez con doña Rosa Bustamante e Irrazábal; don Baltazar Rejón de Meneses con doña Juana María Trelles y Tinoco; don José María León y Valdivieso con doña Rafaela Seminario y Ubillús; don Juan José de Vegas y Alvarez con doña Manuela Seminario y Castillo; don Manuel Valdivieso y Carrión con doña Francisca Váscones; don Miguel Diéguez de Florencia con doña María López Merino; don Juan González Tizón con doña Mercedes Seminario... Y entre este linajudo señorío, lo más granado de la soltería masculina, como don Félix Castro y Huerta, don Nicolás Diéguez de Florencia, don Francisco Escudero, don Tomás Cortez y Castillo, don José de Lama, don Manuel Rejón, don José Frías, don José Manuel Checa, don Gaspar Carrasco, don José Manuel López y cien más, todos los cuales comenzaron a mariposear en torno del brillante y seductor mujerío.

Y entre esa constelación de doncellas, la más radiante, sin duda alguna, era María Luz. Su belleza, desconocida hasta entonces por la mayor parte de los concurrentes, fué como un descubrimiento feliz. Ya algunos habían oído hablar de ella en las tertulias de la ciudad, y los que conocieron a su madre, al verla, no vacilaron en decir que esta belleza era más pura y más avasalladora que la otra. Ahí estaba a la vista para quien se había negado a creerlo, nimbada por áurea cabellera e iluminada la faz por el brillo de unos ojos límpidos y suavemente azules. Para todos tenía una frase halagadora y una sonrisa dulce, tan dulce y comunicativa, que todos fueron sintiéndose aprisionados por su encanto.

Pero tras de esta sonrisa un psicólogo habría descubierto una tristeza, que nada podía disipar y que, más bien, a medida que el tiempo transcurría, aumentaba hasta desgarrarle el corazón a María Luz. Toda la alegría y efervescencia de los invitados no era suficiente para aturdirla o distraerla. La fiesta no podía ser para ella un placer, como lo era para los demás, sino desde el momento en que José Manuel triunfara y el público lo aclamase como vencedor.

Y a pesar de esto tenía por fuerza que agradar, atender y, sobre todo, sonreír para no desentonar en el conjunto, para hacerle a unos más soportable la impaciencia y a otros más efusiva la alegría.

—¿Lo cree usted? —decíale, componiéndose los bucles que le acariciaban las mejillas, al de Castro y Huerta, quien desde el primer momento, había principiado a asediarla—. Eso lo dice usted por no desmentir su reconocida gentileza. No, yo creo que las morenas son más peligrosas, señor don Félix.

—Pues yo vengo de Lima, donde las morenas abundan, y, la verdad, nunca me he sentido más en peligro que ahora que estoy al lado suyo.

—Posiblemente, poro eso sería por haber tenido usted allá una magnífica defensa en su curso de leyes, que no le dejaría tiempo para nada. Con las leyes ¿quién se atreve, mi señor?

—No lo crea usted. Las mujeres se atreven con todo y todo lo pueden —replicó el joven estudiante de derecho.

—Y tienen un poder que todo lo transtorna —añadió, interviniendo don Francisco Escudero, un señor de una fealdad singular y que por su franqueza, parecía corroborar a gritos el mote *sine dolo* de su escudo.

—Perdóneme el señor Escudero —contestó María Luz— que le pregunte ¿cómo sabe que nosotras trastornamos todo, cuando aún no ha tenido tiempo de comprobarlo? ¿Es haciendo vida de soltero cómo se saben estas cosas?

—No, no, niña Luz; no hay saber sin experiencia. Y en esto tiene usted razón. Pero como nunca falta quien experimente por cuenta propia, pues éstos son los que sacan las consecuencias para los demás.

—¡Ah, sí! ¿Entonces no es usted el de la experiencia? Pues no se aventura usted por ese camino, que hay experiencias peligrosas.

—Pierde usted el tiempo, María Luz —dijo desde la fila delantera en que se encontraba el atildado don Pedro de León— en hacerle semejante recomendación a Escudero. Si hasta hoy no se ha decidido a llevar compañera a su casa no ha sido por culpa suya, sino por la de la que él quisiera honrar como señora de sus pensamientos. Todas, todas las que yo me sé no han vacilado en decirle: "¡Perdone, hermano!" Lo encuentro demasiado ascético.

Mientras se sostenía esta conversación en torno de María Luz, algunos personajes, de los más o menos graves, departían con cierto enfatismo alrededor de los hermanos Seminario y Jaime, cuyas ideas políticas comenzaban ya a revelarse, aunque en abierta oposición. Don Fernando, para quien todo el que no fuera realista tenía que ser un infeliz y un traidor, miraba a su hermano compasivamente, pues creíale envenenado por los miasmas aportados por los vientos de la revolución granadina y bonarente, hasta el punto de hacerle delirar y decir palabras tan fuera de sentido.

—Lamento, mi señor hermano, tener que decirle en este lugar y en este momento, ya que usted ha querido mover el punto, que nosotros, menos que nadie, tenemos razón para quejarnos de la corona. Fernando VII será todo lo falso que usted quiera, pero, al fin y al cabo, es el rey de España y, como tal rey, el señor y amo de estas tierras. ¿Qué es lo que pretenden ustedes con ese cáncer que se llama la república? ¿Poner al frente de la colonia al primer mulato que se atreva a alzar cabeza? Pero eso no sería sino cambiar un amo por otro. El hombre que nos trajera la revolución, tendría, naturalmente, que erigirse en amo, y si ha de ser así, bien se está con el que ya tenemos.

—No, mi señor hermano —replicó tranquilo don Miguel Jerónimo—; no se trata de cambiar de amo sino de sistema, de darnos un gobierno que garantice la libertad y el trabajo de todos, criollos y mestizos, indios y libertos; que nos reparta una justicia más equitativa y no se la dé al que mejor la pague.

—Sobre todo, de la libertad de comerciar con quien querramos —añadió el señor de los Ríos y Zúñiga—. Basta de trabas e imposiciones. Es por eso también que han combatido los de Buenos Aires hasta independizarse de la Corona.

—¿Y usted cree, mi don Juan Francisco, que esa independencia está ya asegurada? —interrogó don Joaquín de Helguero, mirando de reojo al sitio en que se hallaba el subdelegado, departiendo con el alcalde y otras personas del oficialismo—. Yo, como usted sabe, estoy, por razón de mis negocios, en continua relación con gente de Chile y sé que eso está perdido. La derrota de Rancagua ha sido un golpe mortal. El gobierno de Buenos Aires es una merienda de negros. Todos quieren mandar y nadie obedecer. Hay por ahí un Artigas que es, valga la comparación, un toro sin beta, que embiste y arrasa pueblos cuando se le antoja. Y como todos se temen, y se recelan, y se envidian, unos se han decidido por un amo extranjero, y otros andan pidiéndole protección al inglés. ¿No es para reír?

—No es para reír, mi querido amigo —repuso el señor de La Tina, que como persona vuelta de allá, hacía apenas un año, se creyó llamado a contestar y desvanecer ciertas especies deshonrosas para los hombres de la Revolución—. Una cosa es juzgar desde aquí los acontecimientos y otra, juzgarlos allá. Yo no dudo de que la independencia de Buenos Aires está ya asegurada. Lo que usted, señor de Helguero, considera desgobierno y mala inteligencia no es más que desorientación y tanteos. Es natural. Aquel pueblo está aún ofuscado con los resplandores de la libertad. No es envidia la que sus hombres se tienen sino emulación, afán de ser cada uno el primero en el servicio de la patria. Pero que se intente amenazarlos en su libertad y los volverá usted a ver a todos unidos. Yo conozco a Belgrano, a Castelli, a Paso, a French, a Beruti, a Vieytes y otros más, por haber asistido a la fábrica de este último y a la quinta de Rodríguez Peña, y sé todo lo que esos hombres pensaban en materia de gobierno. Y uno de sus pensamientos era el de formar un gobierno propio en el Río de la Plata, libre de toda intervención europea.

—No me parece muy exacto, y usted perdone, señor don Juan Francisco, lo que se refiere a Belgrano —replicó Helguero, que quería a todo trance destruir el efecto producido por la verba ilustrativa y convincente del que acababa de hablar—, pues es sabido ya por muchos a qué fue Rivadavia a Londres. ¿Qué no? Pues fué, ni más ni menos, que a negociar, por medio del inglés, con Fernando VII, para que les enviara un príncipe español. Aunque algunos aseguran que a pedir el protectorado de Inglaterra. Y todo esto ¿a cambio de qué? A cambio de la libertad de comerciar. ¡Santa libertad la invocada por esos señores! Y lo peor es que en esto, a pesar de habérseles dicho que se fueran con la música a otra parte, Rivadavia ha insistido hasta dos veces. ¿Qué se cree usted, mi amigo, don Juan Francisco, que aquí, por ser este un triste rincón del mundo no sabemos lo que piensan y hacen por allá abajo los corifeos de la Revolución?

—¿Pero usted no cree, don Joaquín, que todo eso no sea más que ardides de la diplomacia? —exclamó, medio desconcertado el de los Ríos—, o una invención de los realistas, para desacreditar la obra de esos hombres?

—Suponga usted lo que le parezca. Lo cierto es que con la derrota de Viluma, hay que dar por vencida a la Revolución del Río de la Plata y, por ende, terminada la insurrección de la América —afirmó Helguero, enfáticamente.

—Oiga usted, señor mío —dijo, en calidad de refuerzo inesperado don Manuel Diéguez de Florencia, que hasta ese momento se había limitado a escuchar, aunque impaciente—; la insurrección de las colonias no puede terminar sino con la libertad de todas ellas. La insurrección no es obra solamente de los hombres sino también de Dios, y contra Dios nada pueden los cañones ni los déspotas. Ha llegado el momento en que los siervos se conviertan en hombres libres, de que la usurpación le ceda el paso al derecho, y nada podrá detener este designio providencial. ¿Hasta cuándo cree usted que vamos a estar sumidos en esta esclavitud, padeciendo desigualdades, menosprecios y postergaciones irritantes? Basta de tutelaje y explotación inicua. Estamos ya bastante crecidos para saber mejor que los de la Península lo que nos conviene y lo que debemos hacer.

—No lo parece —repuso Seminario y Jaime, el de la barbilla voluntariosa—. Y si no, ahí está el terremoto del año antepasado. ¿Qué hemos hecho frente a esa calamidad? Tontear, llorar, rezar y disputar. Todo se ha ido en papel y tinta y peticiones a Trujillo, pero en efectivo, nada. Los templos y demás edificios públicos se quedarán como están: unos en el suelo; otros a medio caer. Y no se diga que por falta de dinero. Ustedes han visto que el Corpus de este año se está celebrando como nunca. Se derrocha el dinero en otras cosas, pero en el servicio de nuestra arruinada ciudad...

—Bien, bien; en eso estamos de acuerdo, señor de Helguero —exclamó Diéguez de Florencia—. Y para que el sermón no se repita ni menos en lugares como éste, inicie usted, señor mío, una suscripción pública, encabezándola usted, por supuesto, y a la cual me adhiero desde ahora con quinientos pesos.

—¡Qué ocurrencia! Eso sería arrogarme yo un papel que no me corresponde. Para eso está el señor Subdelegado, o el Cabildo, o la gente de la Iglesia.

—Pues la inicio y la encabezo yo. ¿Con cuánto se inscribe usted, señor don Joaquín?

—Hombre, con lo mismo que usted se ha inscrito, aunque desconfío del entusiasmo de este momento.

—A mí, Diéguez, anóteme con quinientos pesos también —dijo don Miguel Jerónimo, que había optado por quedarse en un discreto silencio desde la escaramuza entre Ríos y Helguero.

—Lo que soy yo, señores, ante tanta filantropía me eclipso —murmuró Escudero, retirándose y yendo a incorporarse en el grupo del Subdelegado, que en ese momento sostenía animada charla con María Luz y otras doncellas más.

—Tengo viva curiosidad, señorita de los Ríos —decía don Clemente— de oír a su esclavo, pues me han dicho que tocando la guitarra y cantando es una maravilla. Aunque Seminario y Jaime cree que como el suyo no hay nada igual. Pero ya vamos a ver cuál es el mejor.

—Maravilla no —contestó ruborizada María Luz, como si el elogio hubiera sido dirigido a ella—. Pero mi padre está seguro de que lo hará un poquito mejor que el pabureño.

—Y la apuesta no puede ser más original. Cosas traídas por su señor padre de Buenos Aires, quien, según he oído también decir, ha traído otras muchas cosas más, merecedoras de no ser perdidas de vista —concluyó el Subdelegado en tono medio enigmático.

—Perdone usted, señor, —se apresuró a decir el alcalde—; don Juan Francisco no ha sido el iniciador de la apuesta sino ese belitre del cura Sota, que ve usted allá, riendo y mangoneando. Le pinchó el amor propio a Seminario y Jaime, que tiene su diablo en el negro Nicanor, y tuvo que salir, naturalmente, en defensa de su criado.

—No ha sido el amor propio —dijo la señora de don Jerónimo— lo que ha hecho que mi marido cruzara tan peregrina apuesta, sino el deseo de brindar a sus amigos la ocasión de oír tocar a nuestro negro. Y yo, valgan verdades, tenía también mi poquito de curiosidad, pues esta va a ser la primera vez que lo escuche. Usted, María Luz, sí debe de estar cansada de oír el suyo.

—No lo crea usted, misiá Manuelita. Apenas le he oído dos o tres veces. Parece que le gusta tocar sólo para él.

—¿Y cómo es él, cómo es él? —preguntó la marquesa de Salinas, dirigiéndose a María Luz—. Javier me lo ha pintado como un pardo de buena presencia, pero muy lleno de viento y fantasía, habiendo tenido necesidad de venderle para evitar que le siguiera relajando a la gente de la hacienda.

—Es un hombre como todos, señora marquesa —contestó María Luz eludiendo hacer la descripción que se le pedía—. Ya lo verá usted dentro de un momento. Prefiero que usted misma lo aprecie.

—Y dicen que tiene otras gracias, como la de... ¿cómo le diré a usted para no escandalizarla?... la de ser un gran contentador de criadas —dijo la señora de León y Valdéz, inclinándose al lado de Escudero, para que éste la oyera mejor—. Que lo diga Rejón de Meneses, que no hace mucho estuvo por acá, para no sé qué asunto muy del agrado de su mujer.

—Está muy lejos —murmuró, mefistofélicamente, el señor del *sine dolo*.

De repente quedaron cortados en seco todos los diálogos. Tres hombres encapados, graves, provectos y con las melenudas cabezas descubiertas, aparecieron por uno de los extremos del patio: eran los tres jurados escogidos para fallar sobre la competencia de los cumananeros: el maestro de capilla de Piura, el de Paita y el de Catacaos. Saludaron ceremoniosamente, arrojaron a un lado sus capas y tomaron asiento en el estrado, presididos por el más antiguo en la profesión, que era el de la ciudad.

A la triple aparición, todos los grupos se disolvieron, y cada cual se apresuró a sentarse donde le correspondía. La curiosidad ardía en las pupilas. Entre las mujeres, particularmente, el interés por conocer al famoso Matalaché, de quien sabían más de una aventura, rayaba en exaltación. Las esclavas, sobre todo, que también fueran admitidas e instaladas separadamente, eran las que con más impaciencia esperaban su salida: unas para conocerle; otras para ver una vez más al hombre que las hiciera madre en breves noches de felicidad. Algunas no habían vuelto a verle desde tres o cuatro años atrás; otras, apenas pocos meses, desde que el nuevo amo de La Tina se le ocurriera en buena hora extirpar la abominable y secular costumbre del yogamiento forzado y temporal.

Iban, pues, a ver una vez más al padre de sus hijos, al hombre fuerte y dominador, el primero de los esclavos de la ciudad y de todos los valles piuranos seguramente. Y cada una de ellas se lo decía para sí, con cierto orgullo salvaje, con un íntimo reconocimiento de hembra poseída. La fiesta, en cierto modo, era también para ellas. Las blancas, las amas ¿qué iban a ver en Matalaché sino un simple objeto de curiosidad? ¿Qué podría importarles a ellas su triunfo o su derrota? Cualquiera que fuera el resultado, ellas podrían verle y oírle cuando quisieran, con sólo pedirle el favor al amo que llegara a quedarse con él.

Calmado el rebullicio y agudizada la atención, se levantó el presidente del jurado, desdobló un pliego y comenzó a leer en clara y alta voz:

"Los muy nobles señores don Juan Francisco de los Ríos y Zúñiga y Peñaranda y del Villar don Pardo y don Miguel Jerónimo Seminario y Jaime, vecinos de esta leal y muy noble ciudad, vivamente interesados en solemnizar este santísimo día de Corpus Christi en unión del muy alto y respetable señorío piurano, cruzaron ha dos meses una apuesta, digna de la prosapia de sus inventores, la cual va a realizarse dentro de breves momentos, para honesto regocijo de todos los presentes y estímulo de los amantes del divino arte musical".

"Se trata, dignísimos señores, de saber, apreciar y proclamar cuál de los dos contendores, José Manuel Sojo, alias *Matalaché*, y Nicanor de los Santos Seminario, alias *Mano de Plata*, toca la difícil guitarra más diestramente y lo hace mejor cantando y repentizando. Y para decidirlo, han honrádonos los muy nobles amos de los contendores con esta misión ardua, pero muy dignificadora".

"Vamos, pues, respetables señores, a ejercer la augusta función de jueces con toda la imparcialidad de que nos creemos capaces, sin prevención ni agravio y bajo promesa de verdad sabida y buena fe guardada. El guitarrista que pierda pasará, por estar así convenido, a ser propiedad del amo del que venza. Y esto, si bien va a favorecer, según nuestro pobre concepto, al vencedor, en nada perjudicará al vencido, ya sea porque tratándose de señores tan generosos y humanos, el cambio de dueño no alterará su condición, ya sea porque la proclamación del que venza no va a despojar al contrario de su mérito, pues la fama pública ha tiempo que tiene consagrados a los dos como eximios guitarristas y cantores".

"Con la venia del muy alto señor Subdelegado, que ha querido presidir y honrar esta fiesta, y del selecto auditorio que lo acompaña, el torneo va a comenzar".

Y volviéndose a uno de los costados del tabladillo, donde se hallaban esperando los cumananeros, el orador llamó:

—Nicanor de los Santos Seminario, alias *Mano de Plata*, puede comparecer y subir.

El llamado Nicanor se presentó sonriente y guitarra en mano. No estaba ya emponchado, como cuando iba al pie del séquito de su señor. Era un negro de los llamados criollos, por ser nacido en el valle. Alto, musculoso, cuarentón y no escaso de gallardía y arrogancia, como buen esclavo engreído. Era algo bisojo, y este defecto le restaba a su rostro franqueza y simpatía. Su traje, más que de esclavo, era el de un liberto: chaquetilla y calzón, camisa de cuello abierto, medias de estameña y zapatones de cordobán y oreja, y al cinto un desmesurado machete. Su guitarra brillaba como un espejo, y alrededor del orificio que perforaba el centro de la tapa, un círculo chapeado arabescamente de nácar y caoba. Saludó con desenvoltura y fué a sentarse a la derecha del estrado.

Y el presidente del jurado volvió a llamar:

—José Manuel Sojo, alias *Matalaché,* que comparezca y suba también, que lo espera su contendor.

Por el extremo opuesto apareció José Manuel, también guitarra en mano, con el amable desdén de un gladiador seguro de triunfar. Un murmullo de admiración fué a morir a sus pies como una ola e, involuntariamente, las manos se alzaron y batieron un aplauso endiosador. Hombres y mujeres clavaron en él sus ojos con tan aguda intensidad que José Manuel se sintió como desnudado y mordido por todo el cuerpo. Los hombres comentaban vivamente su reciedumbre, su musculatura, su porte, su arrogancia señoril; las mujeres su másculo talante, su hermosura, su fuerza, su juventud, su indumentaria original. Algunas de ellas, a la vez que cambiaban a media voz sus impresiones, flechábanle con sus impertinentes, con la obstinación del mercader que examina la trama de una tela, o el interés de un ganadero que anhela adquirir un precioso semental. Vestía como acostumbraba hacerlo en los para él grandes días, como cuando se presentó por primera vez delante de su ama, como aquella vez que subió al oratorio... Y aquel traje era lo que más comentarios motivara en la concurrencia.

¿Por qué ese jubón de piel de tigre, que tan salvajemente exótico le hacía? ¿Por qué ese calzado, más propio de un actor de tragedia griega que de un esclavo colonial? ¿Por qué ese cuello de la camisa, desbordado sobre el jubón a la manera byroniana, y por entre el cual se erguía una garganta de incomparable reciedumbre?

¿Era todo esto obra de la presunción, del capricho, o una simple manifestación de afeminamiento o de intuitiva elegancia? Nadie habría podido decirlo. Pero para las mujeres aquello era un signo de supremo buen gusto, de inquietante novedad. No, no era así como se habían imaginado al terrible Matalaché. El de la leyenda era un ogro, una bestia horrible, insaciable, a la cual se arrojaba en su cubil la viva carne de doncellas infelices. El que tenían delante era muy distinto, el reverso de la falsa leyenda: un don Juan negro, en cuyos ojos se habían de enganchar, sin duda alguna, los corazones de las mulatas que él mirara. ¡Y cómo había de amar y poseer este hombre! Su mirada profunda e imperiosa estaba proclamándolo en ese instante.

—¿Sabe usted, María Luz —interrogó por lo bajo una de las hijas de don Pedro de León y que era quizá la que más intrigada estaba con el traje de José Manuel— que el jubón que viste su esclavo es muy alusivo? Ese hombre debe ser realmente un tigre con las mujeres.

—¿Y cómo he de saberlo yo, mi querida Mercedes?

—¡Un tigre!, ¡un tigre!... Así quisiera yo al hombre que me llevara al altar.

Y ambas, cada una movida por distinto pensamiento, sonrieron maliciosamente.

José Manuel se sentó en el otro extremo y afianzó tranquilo sobre sus músculos la guitarra, de cuyo clavijero pendía un manojo de cintas rojas y azules, semejando la cabellera alborotada de una mujer en vilo. Y cuando ya estuvieron listos ambos contendores, el presidente del Jurado exclamó:

—La suerte ha designado a Nicanor para que sea el que lance y mantenga el reto, que el llamado José Manuel debe contestar aceptándolo o nó, y caso de aceptarlo, como es de esperar, el jurado irá indicando lo que ambos deben de tocar.

El negro Nicanor, sin dejar su sardónica sonrisa, templó brevemente el instrumento, lo registró con singular maestría, para así desperezarse las manos y ahogar la emoción que le embargaba, y con una hermosa voz de barítono, algo velada ya por los excesos y el tiempo, cantó las siguientes redondillas, que, más que una invitación caballeresca, eran un reto, lleno de sarcasmo y animosidad.

Me han dicho, José Manuel,
que así como tocas cantas,
y que donde vos te plantas
no hay quien te quite el laurel.

Aunque leido yo no soy
y mi mollera es muy ruda
a Dios le he pedido ayuda
pa vencerte y aquí estoy.

Vamos, pues, de güeno a güeno
a probar cuál es mejor,
a quién le darán la flor,
o a quién le pondrán el freno.

Si pierdo, juro, y no en vano,
que no volveré a tocar,
pues me cortaré la mano,
y te la daré a guardar;

y de mi vigüela haré
astillas pa la candela.
¿Pa qué quiero yo vigüela
si vences, Matalaché?

Sabe, pues, por esta muestra,
y lo digo sin farfulla:
si pierdo te doy mi diestra;
si gano, me das la tuya.

Mano de Plata terminó su valiente y salvaje reto con un rasgueo culebreante, como si así hubiese querido demostrar que lo que acababa de decir lo rubricaba con su diestra, mientras el público alborozado y más vibrante que el instrumento que acababa de oír, atronaba el patio con su aplauso unánime y alentador. Don Miguel

Jerónimo, repantigado en su sillón, en olímpica actitud, recibía sonriente el homenaje, agradeciendo, con rendidos movimientos de cabeza, los cumplidos que le dirigían sus amigos y parciales.

—¡Bah! ¡No es para tanto! Aquello es nada todavía —gritaba, más confiado que nunca en el triunfo de su esclavo—. Eso no vale la pena... Cuando entre en juego verán ustedes lo que es canela y flor de romero.

María Luz, demudada por la dolorosa emoción que le causaban los aplausos y, más que todo, por la intención brutal del reto, que ponía a los contendores no sólo en la alternativa de perder amo y fama, sino de personalizar el duelo, pues conociendo el orgullo de José Manuel, mejor que nadie, sabía hasta dónde era éste capaz de ir, luchaba por ocultar su pensamiento, y mientras interiormente se enfrentaba a su tragedia, por fuera, representaba con máscara de sonrisa, la comedia del disimulo.

Pero su angustia se apagó repentinamente cuando José Manuel, envolviendo a su rival en una mirada compasiva, comenzó en pianísimo un preludio sollozante, que apenas si alcanzaba a llegar al auditorio como un leve rumor de alas. Se diría que no era en el tabladillo donde se estaba tocando en ese momento, sino fuera, en un lejano punto, de donde, en intermitencias sutiles y frágiles, llegaba un flúido melódico y penetrante, que iba envolviendo a las almas en visible arrobamiento. Y lentamente la suave melodía fué creciendo y elastizándose hasta convertirse en furiosa tempestad. Una mezcla de gemidos y sollozos extraña, como de mujeres agónicas y hombres atormentados, brotaba del hexacorde instrumento en cascada ruidosa, violenta, que, al terminar, hizo levantarse al público y aplaudir con frenesí.

Las más entusiasmadas con el capricho musical, a pesar de que su elevación artística estaba seguramente lejos de su comprensión, fueron las criadas, que, subyugadas al principio por el toque aparatoso de Nicanor, temieron un instante por el triunfo de su ídolo. Pero el temor estaba deshecho. "No, no —exclamaban algunas a media voz— José Manuel es invencible ¡che! No hay

Deja la jactancia a un lado
y piensa que al no vencer
yo soy quien te va a poner,
ya que lo quieres, bocado.
Saca lo que bien guardado
tienes adentro, gur gur
mira tú que en este albur
jugamos dueños y honor,
y si pierdes, Nicanor,
no vuelves más a Pabur.

Si con el preludio José Manuel había logrado matar el efecto producido por su rival, con la canción de la respuesta acabó por ganárselo definitivamente. Ella había bastado para que el público pudiera apreciar de un golpe al guitarrista, al repentista, al cantor y al hombre. María Luz estaba desfalleciente de alegría e íntimo orgullo. Ese, a quien todos acababan de aplaudir delirantes, era el hombre que había sabido subir hasta ella. ¡Y cómo lo celebraban las mujeres, todas aquellas damas elegantes, altivas y orgullosas de su nombre, su belleza y su fortuna! ¡Y con qué sinceridad lo hacían! Seguramente arrastradas por la fuerza de la verdad, de la justicia reparadora, que hace olvidar en ciertos momentos la inexplicable ley de los prejuicios y apreciar las excelencias de un alma, salidas a flote por obra del esfuerzo genial. Y como ellas, María Luz, que habiéndolas palpado con sobrada frecuencia, había tenido por fuerza que apreciarlas también y rendirse.

"No soy, pues, una loca —pensaba en esos momentos — por haberme fijado en ese hombre que está allí, como un rey, al que aclamaran sus vasallos.

El mismo Nicanor había escuchado religiosamente a José Manuel, borrada ya su eterna y sardónica sonrisa, con una especie de supersticioso respeto, rendido, más que nadie, a la evidencia de su derrota, fascinado por aquel tocador maravilloso, que tan hábilmente le hacía decir a la guitarra cosas tan profundas y tan nuevas para él. "¡Ah! ¿de dónde había sacado ese hombre tanta fuerza y maestría para dominar así un instrumento tan rebelde e ingrato como la mujer?", se preguntaba bajo el peso de su inminente derrota, el pobre Nicanor.

De estas reflexiones vino a sacarlo la voz implacable del presidente del tribunal, que decía:

—Aceptado el reto en la forma propuesta por Nicanor de los Santos Seminario, va a entrarse de lleno en el torneo musical, para apreciar el repertorio de los contrincantes, cerrándose después con el contrapunteo, para el cual se les dejará el tema libre.

Nicanor de los Santos volvió a empuñar la guitarra, y por espacio de una hora tuvo en suspenso a la concurrencia con sus canciones y tristes. Confiado todavía en el poder y destreza de su mano, de aquella mano que la admiración pública había bautizado con el honroso y expresivo mote de *Mano de Plata;* esforzábase por superarse, por sacar del instrumento el triunfo, que sentía írsele, y de su voz, opacada por el temor de la derrota, la salvación de esa diestra que, tan jactanciosamente, había arriesgado. Y lo consiguió en gran parte. Los oyentes arrastrados por el entusiasmo del momento, aplaudíanle y vitoreábanle al final de cada pieza, yendo algunos de ellos hasta decir que tocar mejor era imposible. El jurado, emboscado en su impasibilidad de esfinge, parecía no escuchar el ruido de las bulliciosas manifestaciones. Diríase que dormitaba en espera del silencio definitivo para fallar y salir de tan embarazoso compromiso.

Las bandejas de refrescos, pastas y mistelas volvieron a circular profusamente, haciéndose una gran pausa, durante la cual los convidados, divididos entre seminaristas y sojistas, discutían prematuramente la victoria; unos, dudosos, otros, intransigentes, mientras los amos de los duelistas, más firmes que nunca en su opinión, cambiaban amables cumplidos con cortesía de floretistas de academia.

—¿Qué le parece a usted lo de la mano? —preguntó don Miguel Jerónimo al de los Ríos—. Mi negro es capaz de no perdonársela al suyo.

—No tengo yo esa opinión del mío. El mío, si triunfa que triunfará, porque todo lo que ha tocado Nicanor es cosa vieja y resobada, no sería capaz de ir hasta ese salvajismo. Ya lo ha dicho. ¿Para qué habría de querer José Manuel la mano de otro, teniendo él una tan buena e invencible como la suya? Todo eso de su negro no es sino bravuconería, farfulla, mi señor don Jerónimo, por lo mismo que él dice que no lo es, con el fin de asustar a José Manuel y quitarle el aplomo y la confianza en sí mismo. Pero ya ha visto usted que mi moreno no se asusta.

—Bueno, bueno, bueno. Poco falta para verlo.

Alrededor de María Luz los comentarios eran muy otros, aunque también apasionados. La mayoría de las damas confiaban ostensiblemente en el triunfo de José Manuel. Después de lo que habían oído tocar, tan fino y emocionante, lo que vendría tener que ser definitivo. Los caballeros que las escuchaban sonreían obsequiosamente, haciendo con ellas partido y aprovechando de la ocasión para deslizarles alguna frase intencionada.

Un nuevo preludio impúsoles silencio a todos, y de la guitarra de José Manuel principió a brotar un raudal de cristalina armonía, más exquisito y arrobador, si cabe, que el primero. Y al preludio siguieron unas danzas de sabor exótico, voluptuosas, ardientes, como la tierra de donde provenían. Era música cubana: la habanera, el singumbelo, la guajira, todo un repertorio nuevo, aprendido por José Manuel en sus viajes a Paita, en las posadas de los marineros, o a bordo de los navíos venidos del mar Caribe, o en sus viajes costaneros, que iban a rematar en el Callao. Y luego la emprendió con la música de la tierra, con los tonderos morropanos, de fugas excitantes, los mangacherinos, tangarareños y lambayecanos; con toda esa música ajimordiente y revoloteadora, flor de galpón, deletérea, opiante, con pretensiones de poesía picaresca, improvisada por la musa popular, como la resbalosa, el agua de nieve, la moza mala, la mariposa, el tondero, el pasillo y el danzón... Después pasó a la música sentimental, la serenata, el triste, la canción, rematando con una danza nunca oída hasta entonces, epiléctica, lujuriosa, azuzadora, cancanesca, descoyuntante y pegajosa, toda llena de fugas y contrapuntos, y tan comunicativa, que contagió con su epilepsia al auditorio. Aquello era un nuevo *son de los diablos*, tal vez de la invención de Matalaché, melódico, clarinesco, original, sin ese tamborileo bárbaro, carraquiento, estúpido del son de los diablos limeños.

La concurrencia se levantó frenética. Los caballeros sin dolerse de la presencia del vencido, y de la de su amo, que también de pie y pálido aclamaba al vencedor, corrían a estrechar la mano del señor de los Ríos, mientras María Luz, abrumada de felicidad se enjugaba a hurtadillas, una indiscreta lágrima. ¡Ah, el señor de su corazón estaba salvado! Salvado del deshonor y de la muerte, porque ella hasta ese momento había estado segura de que José Manuel al ser vencido se habría matado, como lo había dejado entrever en su respuesta. Su plegaria de aquel día había llegado al cielo. Ahora podía ya venirle encima todo, todo, hasta la misma muerte.

Y llegó el momento del contrapunteo. Nicanor no sabía por dónde empezar. Estaba visiblemente anonadado. ¿Qué podía tocar ya delante de ese hombre, ni que había de decirle, si acababa de probarle que era un repentista estupendo; si sus manos y su voz y su habilidad de *cumananero* habían logrado vencer no sólo a él sino también a su amo, a quien, desde el tabladillo, había visto mirarle tristemente y darle una piadosa despedida? Cantó lo que sabía e improvisó lo que pudo. Lo que más lo embarazaba en el canto era la actitud lastimera de sus compañeros de esclavitud, de sus paisanos pabureños, que, arrinconados en un ángulo del patio, lloraban silenciosamente. "¡Pobre Mano de Plata!, parecían decirle, desde el oscuro fondo de sus rostros amorcillados. ¡Ya no te volveremos a ver en la hacienda! La suerte te va a separar de nosotros para siempre!"

Todo su buen humor y travesura criolla los había perdido ya. Apenas si se atrevió a improvisar e invectivar a José Manuel en verso. Pero cada estrofilla suya era al punto contestada y rebatida en forma abrumadora por su contendor, quien, implacable, lo confundía, lo estrechaba y lo tundía hasta hacerlo a ratos enmudecer.

Mano de Plata tuvo al fin que declararse vencido, y entonces José Manuel cerró el contrapunteo con una décima llena de modestia y generosidad y tendiéndole al contrario su mano vencedora.

El jurado, imperturbable ante las vivas y ruidosas aclamaciones al victorioso, deliberó por breves instantes y, una vez acordes los tres maestros, el que los presidía habló por última vez.

—Altos y nobilísimos señores: Después de haber escuchado concienzudamente a los muy meritorios maestros guitarristas José Manuel Sojo y Nicanor de los Santos Seminario por el espacio de tres horas de reñidísima lucha, nosotros, los llamados Juan de Peralta, José Mercedes Rentería y Jacinto Guaylupo, decimos, sostenemos y proclamamos, con toda imparcialidad, inspirada en nuestro leal saber y entender, que el llamado José Manuel es el vencedor, y a quien, por insinuación de sus admiradores y especial acuerdo nuestro, confirmamos desde hoy y *pro témpora* con el mote de *Mano de Oro*. Y este es nuestro fallo, que lo damos imparcialmente, como dejado dicho queda, y que dictamos desde este lugar y en presencia de lo más granado del piurano señorío, en uso de la confianza que los muy nobles y dignos señores don Juan Francisco de los Ríos y Zúñiga y Peñaranda del Villar don Pardo y don Jerónimo Seminario y Jaime quisieron depositar en nosotros".

Apenas terminada la proclamación, que todos recibieron con vivas demostraciones de júbilo y simpatía a José Manuel, el vencido, ceñudo y trágico, se irguió y dirigiéndose a la mesa, frente a la cual los otros dos maestros permanecían sentados gravemente, afirmó sobre ella su diestra, desenvainó con la otra el machete, y con feroz resolución se la amputó de un tajo, a la vez que, cogiéndola y tirándola a los pies de su vencedor, después de haber envainado el sangriento puñal, decía:

—Matalaché, Nicanor sabe cumplir lo que promete. Ahí te va mi diestra, que ya no me sirve.

Una exclamación de horror brotó de todas las bocas, horror que se acrecentó cuando el pobre vencido, mostrando el rojo muñón al jurado, disparó contra él un copioso chorro de sangre.

—Han sido ustedes justos, maestros. Y como ya he dejado de ser *Mano de Plata,* pues mejor sin ella que con ella.

José Manuel, que, aun no repuesto de la sorpresa, veía que su leal competidor se tambaleaba como un ebrio, amenazando caerse, corrió a auxiliarlo, y cogiéndole por la cintura, lo levantó en peso y partió con él a la enfermería, mientras los señores se dedicaban a atender a las damas, gran parte de ellas desmayadas a causa de la brutal conmoción.

XV

LA TENTACION

Dos mujeres giraban afanosas en torno del lecho de María Luz aquella noche: la Casilda y la Martina. Ambas parecían más abatidas que su ama, a pesar de ser ésta la enferma. Desde la fiesta memorable, de la que iban ya corridos como tres meses, María Luz no hacía más que llorar, y con tal desconsuelo, que nada podía aquietarle el espíritu ni decidirla a tomar las pócimas que le ofrecían. Y era, más que el padecimiento corporal, lo que la tenía quebrantada, la realidad de su situación, cada día más insostenible e inocultable.

Su padre había subido varias veces a verla, alarmado por una enfermedad que, aunque un poco imprecisa y sin manifestaciones febriles, parecía no tener término. Y si al principio le pareció natural que el truculento remate de la fiesta hubiese impresionado tan fuertemente a todos, particularmente a las mujeres, encontraba raro que, después de tanto tiempo, su hija, considerada por él hasta entonces como mujer animosa y fuerte, siguiera tomando la cosa tan a pechos, sin poder reaccionar contra su mal.

Y esto lo hallaba más extraño al ver a su hija obstinada en no querer recibir asistencia médica, conformándose con la de sus criadas, que, por otra parte, de nada le servía. ¿Hasta cuándo iba a permanecer así? ¿Cuál era realmente la causa de su postración? Y don Juan Francisco acabó por encogerse de hombros y pensar que todo eso no era más que un arrechucho de doncella engreída, o uno de los medios empleados por las mujeres para hacerse las interesantes.

—Ya te he dicho, Martina, que no son remedios lo que yo quiero —exclamó María Luz, rechazando la bebida que aquella se empeñaba en hacerla tomar—. Otra cosa... otra cosa es lo que necesito. Si tú quisieras dármela...

—Lo que usté mande, mi ama; pero antes beba esta bebidita, pa que le saque to el aire el cuerpo, que lo de usté, niña, es aire, y se le puere hasé mal e costao si no le atajamo a tiempo.

—No, no. ¿Qué sabes tú? Deja tus aires y tus bebidas para otra ocasión y dame algo para acabar de una vez conmigo.

—¡Avemaría! ¡Será cuento!... ¡Ni que juera yo atormentada pa tamaña barbaridá! Vea, niña, que no hay cosa pior que desearse la muerte.

Y la Martina, sospechando lo que le pasaba a su ama, se aventuró a decir, insinuadora:

—Yo me afiguro que la cosa no e pa desesperá. Esta samba, aquí onde usté la ve, tiene artimaña pa todo, hasta pa llamar a las iguanas con el silbo, contimás pa sacar lo que una tiene aentro por más agarrao que esté. Es desí, si me lo piden. Porque, eso, sí, yo soy una mujer de consensia.

—No me has entendido, Martina. Lo que yo quiero es otra cosa, pero parece que tú te vas por otra parte.

—Yo voy ponde usté me yeba, niña. Pa tomale el punto a la persona, yo. Así e que si e pa dirse, mi niña, onde se le quede a una la cara pelada y no güelve más, como parese que usté lo está queriendo, niquis! Pa eso no. No me acusaré ante mi Dios ese pecao. ¡Caramba! Ayudale a un cristiano a quitarse la vida, ni loca...

—Es que hay casos, Martina, en que la vida pesa horriblemente, que está demás. ¡Cuando le pasan a una ciertas cosas!...

¡Manque nunca, niña! Así seya una guara e cosa yo no aseto que pueran arrastrá a quitarse una mesma la vida. Pa todo hay remedio en este mundo, menos pa la muerte.

—Y para lo mío tampoco, Martina. Cuando se llega a donde he llegado yo, cuando se tiene lo que yo tengo, no hay más que seguir uno de estos dos caminos: o el de la muerte, que nos libra de todo, o el del oprobio, que es más horrible que la muerte. Y yo prefiero el primero.

—¿Qué tan berrinchudo e lo que l'está pasando, niña María Luz —observó la enfermera, tomando su rostro una expresión de gravedad adecuada a la pregunta, y a la confidencia que veía venir inevitablemente— pa pensá, así tan jovensita, en la muerte?

—Tan serio, que no volveré a levantarme de esta cama, si no es para que me lleven al camposanto. Pero, mujer, ¿que no lo has adivinado tú en estos tres días que me estás asistiendo? ¿Que no te ha dicho nada este cuerpo infeliz? ¿Pues para qué has andado tú toda la vida metiendo las manos en ciertas cosas sino para saber de ellas al primer golpe de vista?

—¡Ya lo creo! Pa eso la prática, que nu hay sensia sin esperensia, como dise el dicho. Y ya me sonrugía aquí aentro; pero, francamente, no me atrevía hasele caso. ¿Por qué no equivocarse? Y aluego ¿cómo sospechá de lo que no se debe sospechá? ¿Y a quién colgale el milagro? ¿Onde están los moros que han andao por esta costa? De naides se ha dicho nada. Y si dempués mis ojo me han dicho algo, contra ese desí estaba... Que no sé cómo desilo, niña...

—El guardián de mi honestidad, que hay que suponerla a toda mujer de mi calidad, ¿no es así? Sí, eso es lo que hasta hoy me ha librado de las sospechas de mi padre y de las tuyas. Pero esa reputación está ya por el suelo, enlodada, Martina, y nada podrá devolverle su perdida pureza. Ahora sólo me servirá para mortaja.

—¿Está usté isiendo la verdá, niña? —preguntó la mulata, resistiéndose todavía a aceptar lo que acababa de oír—. ¿Tanta e su desgrasia, Dios mío?

—¿Qué no la crees? Mira, mira este vientre que se lo han de comer pronto los gusanos. ¡Tócalo!... —gritó María Luz, exaltada, destapándose y mostrando, bajo la tenue y morena blancura del camisón de lino, la túrgida cúpula de la fecundidad—. ¡Tócalo y convéncete!

Y después que la mulata, llena de doloroso asombro, constató la realidad:

—¿Dime ahora, son remedios los que yo necesito para esto? ¿Es con tacitas de hinojo y yerbaluisa con lo que se cura la honra de una mujer?

La Martina movió tristemente la cabeza antes de responder, como si así hubiera querido desechar la desconsoladora respuesta que tenía cuajada en los labios, y, rompiendo en sollozos, murmuró al fin:

—¡Pobresita, mi niña linda!... ¡Es preñés! es preñés! ¡Y de las legítima! ¿Pa qué desí más? ¿Pa engañarse una mesma? ¡Ah, por qué no se fió de mí, amita, antes del trambuche, que yo la habría salvao!

—¡No seas tonta, Martina! —murmuró, con sarcástica sonrisa María Luz—. Si lo que yo quería entonces no era salvarme sino perderme. Cuando se ama de veras, el perderse es como amar dos veces. Y yo tenía una sed de amor desesperada.

—Perdía no, niña; perdía no —exclamó la vieja nodriza, a la cual el instinto, más que la razón, le hizo entender que la palabra perderse, dicha en tan solemne momento, iba a pesar sobre ella también de manera cierta y fatal—. La Martina te sacará con bien y yo la ayudaré.

—¡Desdichada! No te imaginas el trance por el que estoy pasando. Tú, más que nadie, vendrías a ser la más favorecida con mi muerte, porque lo que amenaza aplastarme es tal que alcanzará a todos los de esta casa, y a ti particularmente. Una catástrofe, peor que un terremoto. Mientras muriendo yo, todos quedarían salvos y en paz.

—Así es, así es, niña, que ya l'entiendo —prorrumpió la enfermera, convencida del peligro que amenazaba a todos—; pero la Casilda ha dicho bien: yo la salvaría si usté quisiera.

—¡Tú!

—Siempre que usté quisiera prestarse... De apuros como éste sé yo sacá fásilmente. En un dos por tres ¡juera!

—¡No! —se apresuró a decir María Luz, comprendiendo el alcance de la torva insinuación de la mulata—. Así no. Eso está bueno para las criadas y cierta clase de señoras. Pero este hijo que siento yo aquí, en mis entrañas, es un hijo del amor y de la desgracia, que no tiene por qué pagar culpas ajenas. Sobre todo, que ni su padre ni yo somos culpables de nada. Allá los prejuicios levantados entre los dos. No intentes, pues, decirme tu modo de salvarme.

—Ta bien, niña; eso e lo que le dise su queré, pero mañana, cuando el patrón, amatrerao po lo que le pasa a su niña, se meta a averiguarlo; ¿qué le va usté a desí?

Y mirando a la Casilda maliciosamente, concluyó:

—Cierto que yo no soy la que voy a bailá a l'ora el toque, ni naide mea dao vela en el entierro...

—Ya lo sé, Martina—. Aquí la única responsable soy yo. Ni ésta es culpable de nada. Si algo ha hecho ha sido por mí, por habérselo mandado yo, y tú sabes que el primer deber de un esclavo es obedecer y callar, ¿me entiendes Martina? Y si tú fueras mi esclava y yo te mandase matarme, tendrías que hacerlo. Desgraciadamente no lo eres, por eso tal vez me niegas lo que quiero en este momento.

Y María Luz, violentada por la situación sin salida en que se encontraba, comenzó a llorar.

—¡Señorita! ¡Amita de mi corazón, si yo también soy su esclava! —Murmuró la Martina, sinceramente—, y estoy, se lo juro por las cenisas e mi madre, dispuesta a compartí con usté el pedaso e suerte que le toque. Pero darle algo que se la lleve de este mundo, ¡Dios me libre! ¡Si juera l'otro! Con eso quedaba usté alijada y como nuevita en menos de un santiamén.

—¡Calla! ¡No me tientes, mujer! ¿Cómo me propones una cosa que va contra mi hijo? ¿Que sea yo la que debe matarlo para después seguir viviendo como si no hubiera ocurrido nada? ¿Y eres tú, que sabes lo que es ser madre, la que me insinúa tal cobardía! Morir yo con mi hijo sí, pero matarle, matarle por quedar libre y seguir pasando por lo que no soy ¡jamás! Sería un crimen horrendo, que me abrasaría la sangre. ¿Que no sabes tú, Martina, quiénes somos los Ríos de Zúñiga? Nosotros sabemos matar por la honra, pero no asesinar por ocultar una vergüenza. Lo uno es justicia, lo otro es infamia.

—A mí me parese, y usté perdone el paresé, que también es malo matarse una mesma. Y en esto no la sirvo yo, niña, manque me lo mande el mesmo rey que está en los sielo.

—No importa; me dejaré morir. Deste este momento no quiero nada, nada. ¡Afuera las dos! ¿Me han oído?

—¡No nos botes, m'ijita! —exclamó la Casilda arrodillándose e intentando besarle los pies a su ama, después de habérselos cogido, la que los retiró conmovida—. Yo también quiero morir con vos, pa que vea la niña Carmen del otro mundo cómo su negra Casilda ha velao por su hijita María Luz.

—¡Cállate! No mientas a mi madre en este momento.

Y María Luz, sentada sobre el lecho, arrecida, mortal, pero firme en cierto pensamiento sombrío, sacudió la cabeza negativamente, como queriendo así cerrarle el paso a la diabólica tentación. Matar únicamente al ser que sentía en sus entrañas, sacárselo como una cosa puerca y maldita para que fuera luego a pudrirse, sabe Dios en qué muladar o mísero escondrijo, era algo para ella inconcebible. Y más inconcebible todavía el sacárselo por obra de su propia voluntad. Y todo ¿por qué? Para entrar en una vida de ficción y de mentira, para volver a empezar tal vez. ¿Porque, hasta dónde podría ella creerse segura de no reincidir, teniendo siempre a la vista al tentador, al que de un golpe había podido subir hasta ella y, a su vez, esclavizarla?

Y sobre este sañudo y doloroso meditar cayó como un sudario, un pesado y torvo silencio. Cada una de las cabezas, que un mismo destino parecía obstinado en unir, pensaba en cómo había de romper el muro infranqueable que las tenía aprisionadas, para volver a los dominios de la sedante vida que habían disfrutado hasta entonces. Y dentro de esa prisión alzábase amenazador el fantasma de la muerte. Y si para la una, la más libre al parecer, pero en realidad la más esclava, la muerte podía ser la mejor solución, para las otras, pobres mamíferos domésticos, aquel desenlace era algo que su instinto rechazaba con todas las potencias de la carne, a pesar de las sentimentales protestas que acababan de hacer.

De repente una de las tres mujeres, acosada por la idea sombría y tentadora, tomó una resolución y salió, y al ir a pasar por la habitación contigua, que debía conducirla al corredor, la presencia inesperada del amo, la sobrecogió, haciéndola retroceder.

—¡Ah, eres tú, Martina! —exclamó don Juan Francisco, clavando en ella los ojos con fijeza taladrante—. ¿Adónde ibas?

—A prepararle a la niña una tisanita.

—¿Otra más? ¿Que no son suficientes las que le has estado dando todos estos días? Pregúntale si puedo entrar.

—Perdón, mi amo —tartajeó humildemente la Casilda, asomando la cabeza por una puerta—. Niña María Luz dise que la dispense, que va a dormir y mejó lo deje pa mañanita.

—Bueno, bueno; será mañana. Y dile que voy a traerle mañana a Maticorena para que la vea.

Y dirigiéndose a la Martina, que contrariada por el encuentro, no sabía si salir o volverse al cuarto de su ama, díjole, en un tono singular, que la hizo estremecer hasta la médula:

—Vamos abajo. Quiero hablar contigo.

Y los dos, mudos, como dos sombras furtivas, comenzaron a descender cuidadosamente la larga y tendida escalera, cuyos tramos no se veían bien a causa de la oscuridad naciente de la noche. Y estarían a la mitad del descenso cuando una risa burlona y estridente, hendió los ámbitos del patio, haciéndoles pararse. En seguida una voz innoble, bestial, cantó la consabida copla:

Cógela, cógela, José Manué;
mátala, mátala, mátala ¡che!
No te la comas tú solo, pití;
deja una alita siquiera pa mí.

Aún no se había desvanecido el eco del canto cuando don Juan Francisco, salvando como pudo los tramos que le faltaban, se encontró de dos saltos, al lado del cantor, que no era otro que el congo del molino, y encarándose con él le preguntó, con mal reprimida cólera:

—¿Por qué has cantado así? ¿Qué hacías en el patio a esta hora en vez de estar en el galpón?

—Señó amito, conguito cogiro sueño temprano adebajo l'escalera. Rinconsito muy abrigao. Aluego pasó gente.

—¿Y por eso has tenido la insolencia de ponerte a reír y cantar?

—Neguito congo no aribiná que era su mersé quien bajaba.

—¿Y a quién te imaginabas tú...?

—L'otro, mi amito; l'otro...

La Martina, incorporada ya en el grupo, al ver el sesgo que tomaba el interrogatorio, creyó necesario intervenir.

—¡Ah, dianche e negro! Siempre alocao, señó, y soltando todo lo que se le viene a la boca. Bien sabe que el señó y nosotras semos los que trajinamos por la escalera...

—No, no; si ha dicho *el otro* —recalcó don Juan Francisco—. ¿Quién es ese otro? ¿Yo?... ¿Esta?...

—Amito es amito; l'otro es l'otro.

—¿Y quién es el otro? ¿No quieres hablar? Pues ahora mismo voy a hacerte dar cien látigos para que me lo digas, y de manos de José Manuel.

—¡No, no hay nesesirá asotáme! ¡Es él, es él!

—¿Y quien es él, demonio...?

—¡José Manué, amito!

—¿José Manuel? —repitió enronquecido de repente don Juan Francisco y con los ojos desorbitados— ¿Pero tú lo has visto subir alguna vez?

—Mucha, su mesé, mucha. Por eso l'hise bromita.

—¿Y por qué le cantabas esa copla indecente? ¿No sabes tú que arriba sólo vive mi hija con la Casilda?

—Casilda, señó. ¿Po quién va a sé sino po Casilda?— concluyó el negro con hipócrita humildad.

—¡Está bien! Pasen ustedes dos a esperarme a la sala, que ya voy yo en seguida.

Y mientras la enfermera y el congo cumplían el mandato, don Juan Francisco, dió dos fuertes palmadas, y a poco se presentó ño Antuco, soñoliento y alarmado a la vez por tan intempestiva llamada.

—Sube a los altos y dile a la Casilda que baje, que baje que quiero hablarle inmediatamente. Y si se demora tráela tú mismo.

No habían transcurrido dos minutos cuando la Casilda apareció en la sala, donde la esperaba ya el amo. Su azoramiento era tal, que el más ciego habría visto lo que pasaba en ese momento en el alma de la pobre negra. Don Juan la azotó con una mirada de cólera sombría, y después de jugar un rato con su temor, como la garra con la presa, le espetó a quemarropa esta pregunta:

—¿Desde cuándo recibes tú en tu cuarto a José Manuel?

—¿Yo, mi amo? ¿La Casilda a José Manué? ¡En jamás!

—¡Jamás! Y entonces ¿a qué sube a los altos ese hombre?

—No sé, mi amo. Habrá sido, pues, por la Rita.

—¡No mientas! La Rita hace más de dos meses que se fué. ¿Por quién sube ese hombre, repito? Y cuidado con mentirme, porque te hago azotar hasta que confieses.

—¡Ah, sí... sí, mi amo! ¡Le diré la verdad! Es por mi, señó! Yo que le e consentiro una nochesita en mi cuarto. ¡Perdóneme l'atrevimiento!

—¡No es verdad! Estás mintiendo. En tus ojos leo la mentira. Dí la verdad o te hago desollar, como haber Dios.

—¡Por mí, señó, se lo juro! José Manuel es mi hombre...

Don Juan le cortó la palabra con una sonrisa ferozmente sarcástica.

—¡Tu hombre!... ¡Eso quisieras tú, negra alcahueta, gran puta! Tú no eres ya mujer para ningún hombre. Ni para éste que tienes aquí delante, que ha pretendido engañarme hace un momento y que sabe más de lo que ha confesado.

Y dirigiéndose al congo:

—¿No es verdad que tú sabes a dónde sube José Manuel?

El negro miró misteriosamente a la vieja nodriza, y como en la mirada de ésta leyera, además de una promesa, la respuesta que debía dar, contestó:

—Onde la Casilda, señó. Congo vido con sus ojo.

—¡Pícaro! ¡Bellaco! Fuera de aquí. Y tú también, vieja hipócrita. Mañana me las entenderé con los dos.

Y una vez solo con la Martina, murmuró, ceñudamente:

—¡Bueno! Parece que todos se han puesto de acuerdo para no decirme la verdad. Pero tú, Martina me la vas a decir ahora mismo.

—¿Yo señó? ¡La que menos! ¿Cómo puede una saber lo que pasa en los altos si yo no vivo ahí? Sólo ahora no más que estoy asistiendo a la señorita he venido por acá juera.

—¡Vamos! ¿También quieres tú venirme con que no sabes nada? ¿Y por qué decías enantes, en la alcoba de mi hija: "También es un crimen quitarse la vida una misma, y yo no la ayudo en eso, mi ama"? ¿Por qué decías eso? ¿Y por qué quiso echarlas a ustedes fuera?

—¡Señó! —gimió la pobre mujer, que creída de que don Juan Francisco lo había escuchado todo, no se atrevió a seguir negando.

—¿Por qué le decías eso a mi hija? Contesta.

—¡Ah, la niña María Luz e muy esgrasiada! Me pedía algo que no juera remedio y yo me negué.

—¿Desgraciada mi hija? ¿Y por qué? Habla, de una vez, ¡por los mil diablos!, que ya me va faltando la paciencia.

—¡Pero, señó, si la verdá e muy grande! Una cosa que no cabe en esta casa...

—Pues díla, aunque tenga que pegarle fuego a la casa con todo lo que tiene adentro.

—Cómo desí, señó, que la niña María Luz...

—... es la que ha estado recibiendo al hombre que acaba de mentar aquí el congo, ¿no es eso?

—Mas pior q'eso entoavía, señó: que las visita del maldito mulato l'han dejao sucio el vientre a la niña!

A tan inaudita y terrible verdad don Juan, llevándose las manos a la cabeza, se levantó tambaleante, como si hubiera recibido una puñada brutal en el plexo, y se quedó mirando, de hito en hito, a la Martina, alelado, sin saber qué decirle, hasta que repuesto al fin de la impresión y recobrada su férrea voluntad, exclamó, extendiendo la diestra en actitud inexorable y decisiva:

—¡Lárgate de aquí! Y si esa moza insiste en que la mates, ¡mátala!

XVI

EL ULTIMO JABON DE LA TINA

El mayordomo, con su negra y magra figura de poste carbonizado y su cabeza de piel astrakanada, esperaba a pie firme en el centro de la habitación. Don Juan no le había sentido llegar. Absorto por el tumultuoso desfile de sus pensamientos, que, desde veinticuatro horas antes, no le dejaban dormir ni pensar sino en su propio dolor, nada de lo que le rodeaba parecía advertirlo. Dos surcos profundos le partían el entrecejo, imprimiéndole a su rostro una dureza implacable y cruel. Sus ojos, de azul desvanecido, parecían mirar por encima de los muros de la sala un punto lejano, algo que reflejaba en sus pupilas resplandores de un incendio diabólico.

¡Lo que había envejecido en esas veinticuatro horas! Del cincuentón, de arrestos juveniles hasta ayer no más, sólo quedaba una armazón humana, rígida, autómata, en la que todo parecía obedecer a golpes de resorte. La naríz, recta, de alas palpitantes y husmeadoras de goce y voluptuosidad, se le había afilado y caído en obstinada interrogación sobre la boca, cuyo labio superior, sombreado a causa del olvido del rasuramiento, salíale al paso en un gesto de desdén inmisericorde. Y el macizo mentón, signo otrora de reciedumbre y voluntad, perdíase entre los repliegues de una sobarba indiscretamente adiposa.

Era un actor que representaba dignamente su tragedia, la catástrofe de un alma. En aquel hombre no quedaba ya nada de la belleza y seducción de otros tiempos. Todo en él eran gestos y líneas: gestos que se contradecían, líneas que se entrecruzaban.

Y el día íntegro se lo había pasado ahí, unas veces dande órdenes, otras, apurando entre veguero y veguero, grandes sorbos de café. Y todo esto con una apariencia de tranquilidad que, en vez de aquietar, causaba en su servidumbre un pavor inexplicable. Es que en esas veinticuatro horas aquel hombre se había deshumanizado y todo lo que fluía en él tenía una tal radiación de dolor y fiereza que sobrecogía al que miraba.

La misma habitación parecía estar con él al unísono: hosquedad, silencio, pesadez, frialdad, penumbra, limitación, enigma... Por el polvo de los muebles semiseculares no había pasado aquel día una mano diligente. Del candelabro de cinco luces, solamente una ardía con llama vacilante, bastando apenas a ahuyentar los asaltos de la sombra, empeñada al parecer, en cubrir piadosamente tanta desesperación y tristeza. Los retratos que pendían de las paredes pugnaban por descolgarse y huir. Uno de ellos, el más ampuloso de barba, de aire señoril y gravedad muy española, parecía que todo el azul de sus ojos se le había trocado en un mandato imperativo, irresistible, que era necesario obedecer. Era uno de los abuelos paternos de este otro señor que tejía, seguramente, en el silencio de la noche, la urdimbre de una tragedia, comunicándole, poseído tal vez por la enormidad de lo que meditaba, algo de su adustez a las cosas. Y por obra de esa deshumanización, el hombre que estaba ahí semejaba una fiera acorralada, y la habitación, una guarida.

Al fin salió de su ensimismamiento, y volviendo los ojos al esclavo, que, poseído por la solemnidad del momento, no se había atrevido a hablar, murmuró:

—¡Ah, estabas ahí!

—Sí, mi amo. Venía desile que to está listo.

—¿Todo?

—Todito, mi amo. Antuco cumplí al pie e letra lo que su mersé manda.

—Dame la capa y el sombrero.

Y una vez en posesión de las dos prendas, don Juan Francisco salió precedido del viejo mayordomo, el cual, farol en mano, comenzó a guiarle entre el laberinto del jardín y las callejuelas formadas por la arrumazón de los fardos y zurrones. Ni un chirrido, ni un graznido, ni un murmullo... Amo y esclavo avanzaban quedamente, como dos siluetas, que, perseguidas por un pálido charco de luz, trataran de disolverse en la fría tinta de la noche.

Ya en el segundo patio no fué necesario el farol. El sangriento reflejo de los hornos de las tinas alumbraba lo suficiente para prescindir de toda luz. Don Juan Francisco avanzó hasta el fondo, donde un grupo de tres hombres esperaba, y dirigiéndose al que estaba en medio, díjole, con reconcentrada ira:

—Ya supondrás lo que voy a hacer contigo, ¡negro canalla, ingrato, desleal!

—Sí; lo que hace el cuchillo con la carne, señor.

—Algo mejor que eso. Ahorcarte, no. ¡Eso quisieras! Ni garrote tampoco. Eso, para los caballeros.

—Cualquiera que sea la muerte que me dé usted la recibiré con resignación, como el pago merecido de una deuda que he contraído con usted.

—¡No balandronees, miserable! Mejor sería que te encomendaras a Dios. Tienes unos minutos para que lo hagas.

—Ya lo he hecho, don Juan; todo el día he rezado. Yo soy un buen cristiano y sé que la oración consuela y purifica. Desde que se me engrilló y metió en el calabozo sabía lo que podía esperar.

—Desgraciadamente no te puedo cobrar de otro modo la deuda. ¡Ah, si estuvieras a mi altura, con qué placer te buscaría el corazón con una espada! Pero siendo quien eres no mereces que yo ponga en ti mis manos, ¡alma de perro!

—De hombre, don Juan, de hombre. José Manuel piensa, siente y quiere como los caballeros, como los blancos.

—¡No, no! Eres un perro, peor que un perro. El perro siquiera agradece el trato y el pan que se le echa; pero tú muerdes a traición la mano que te lo da.

—Es eso lo que usted cree, pero el pan que he comido yo en esta casa me ha costado mi sudor; lo he ganado muy bien, y todavía ha quedado para usted. ¿Qué se figura señor don Juan Francisco, que soy yo un esclavo como los demás, que no sabe lo que es un hombre y una bestia y que todos tenemos el derecho de vivir libremente?

—¡Derecho! Eso quisieras tú, hijo de raza maldita! ¡Hombre tú, que hasta por el color eres una mancha y una vergüenza!...

—Pero por dentro no lo soy. Por dentro soy luz, como que soy hijo de Dios, don Juan. Quizá si más luz que muchos hombres que blasonan de nobles y generosos. ¿Me enrostra usted mi color? Si fuera blanco no estaría aquí sino en la iglesia, delante de un sacerdote y de mucha gente hipócrita y aduladora.

—Pues por lo mismo que no lo eres has debido mirar primero donde ponías los ojos, ¡canalla!

—Lo sabía, señor, por desgracia, y de ello no tengo yo la culpa. Para qué nos ha dado Dios ojos sino para ver y adorar lo que nos gusta.

—¡Negro mentecato, presuntuoso, pedante! Llévenlo allá arriba.

—Señor, mire bien lo que va a hacer conmigo. Máteme, pero no abuse.

—¡Cárguenlo, y llévenlo allá, he dicho!

Don Juan, que sólo por estimular su odio y darse ánimo para cometer la atrocidad que tenía proyectada, se había detenido a dialogar con el aherrojado José Manuel, gritó, dirigiéndose a los dos esclavos que lo tenían a éste cogido por los brazos:

—¡Allá, allá, a esa plataforma! Y tú, Antuco, dirígelos como te he indicado ya.

José Manuel, que desde la noche anterior había sido encerrado en un ergástulo, cargado de grillos y esposas, sin más alimento que agua y pan y sin otra esperanza que la de recibir una muerte pronta y *humana*, se rebeló, y mirando de arriba abajo al hombre que sin más ley que la suya le condenaba a un suplicio horrendo, diabólico, le escupió, más bien que le dijo, estas afrentosas palabras:

—Ya ve usted, don Juan, como no es preciso ser negro para ser una bestia. ¿Quién es aquí la bestia, usted o yo?

—¡Cállate, esclavo vil!

—¡Esclavo! El esclavo es usted, don Juan, que se deja arrastrar por la soberbia, como el demonio. Así son todos ustedes los blancos.

—¡Súbanlo, súbanlo! —repitió rabiosamente don Juan—. Que no tenga que decirlo otra vez.

Y los dos fornidos congos, el de la risa innoble y la copla canallesca y el otro, un mozo de herrería, cogiendo violentamente al infeliz por los brazos y las piernas, salvaron de unos cuantos trancos la rampa y se detuvieron sobre la plataforma que engolillaba a una de las enormes tinas de jabón, rugiente y humeante como un cráter voraz.

Antuco, que, sombrío e inexorable como un verdugo, viera subir la humana carga, dió una voz y los sayones la soltaron sin miramiento alguno. Luego, con la voz un poco estrangulada, tal vez si por la emoción de lo que iba a ejecutarse, o por algún sentimiento de piedad, murmuró:

—¡José Manuel, arrodíllate y reza un padrenuestro!

—Ya he dicho que he rezado hoy bastante. Acaba; ¡no me torturen más!

Y sentándose y volviendo la cara al amo:

—Don Juan, ¿va usted a hacer jabón conmigo? Si es así, que le sirva para lavarse la mancha que le va a caer y para que la niña María Luz lave a ese hijo que le dejo, que seguramente será más generoso y noble que usted, como que tiene sangre de Sojo.

—¡Tírenlo adentro! —rugió el de los Ríos y Zúñiga, más ceñudo e implacable que nunca.

Y sobre el crepitar de la enorme tina de jabón se oyó de repente un alarido taladrante, que hendió el torvo si-

lencio del viejo caserón y puso en el alma de los esclavos una loca sensación de pavor.

Quince días después, los parroquianos que iban por
jabón a La Tina se encontraban con las puertas cerradas,
y sobre éstas un lacónico letrero, que decía:

SE TRASPASA

EN SAN FRANCISCO DARAN RAZON

IMPRESO PARA JUAN MEJÍA BACA Y
P. L. VILLANUEVA, EDITORES, EN LA
IMPRENTA TORRES AGUIRRE, S. A.,
JIRÓN LIMA Nº 638-640, LIMA-PERÚ

DUE